EGMONT EHAPA VERLAG GMBH

IMPRESSUM

Walt Disney Lustiges Taschenbuch erscheint vierwöchentlich bei
Egmont Ehapa Verlag GmbH, Wallstraße 59, D-10179 Berlin
Geschäftsführer: Ulrich Buser
Chefredakteur: Peter Höpfner

Leser- und Aboservice Deutschland: Lustiges Taschenbuch Leserservice, D-20080 Hamburg,
Telefon: 01805-700 5800*, Fax: 01805-861 8002*
*14 Cent/ Min. aus dem dt. Festnetz, max. 42 Cent/ Min. aus dem Mobilfunk
E-Mail: info@ehapa-service.de • abo@ehapa-service.de
Leser- und Aboservice Österreich, Schweiz: Lustiges Taschenbuch Leserservice,
D-20080 Hamburg, **Telefon:** 0049-1805-8610001, Fax: 0049-1805-8618002
E-Mail: info@ehapa-service.de • abo@ehapa-service.de

Marketing und Kooperationen: Jörg Risken (Unit-Leitung) - j.risken@ehapa.de
Matthias Maier (Senior Produkt-Manager) - m.maier@ehapa.de

Druck: GGP Media GmbH, Karl-Marx-Str. 24, D-07381 Pößneck

Anzeigenleitung (verantwortlich): Ingo Höhn, Egmont Ehapa Verlag GmbH,
Wallstraße 59, D-10179 Berlin
Anzeigenverkauf Deutschland: Julia Bosch, Tel.: 030-240 08 598

Kontakt Walt Disney Publishing: Jürgen Drescher (magazine@disney.de)

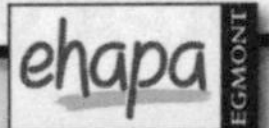

COMICS

Liebe Freunde!

Ihr werdet sehen, auch wenn wir uns anfangs aufführen wie unser geschäftstüchtiger Großonkel, Spaß verstehen wir am Ende immer noch. Ohne Onkel Dagoberts finanzielle Unterstützung können wir unsere haarsträubende Geschäftsidee natürlich nicht umsetzen. Doch da wir uns schon fast wie die jüngsten Millionäre Entenhausens vorkommen, sind wir kaum zu halten und überzeugen Onkel Dagobert im Handumdrehen. Womit wir allerdings ganz und gar nicht gerechnet haben, ist der handfeste Humor der Eingeborenen, mit denen wir in Verhandlungen treten müssen. Und als sich die ganze Unternehmung schließlich als Flop herausstellt, haben wir trotzdem immer noch gut lachen - ganz im Gegenteil zu Onkel Dagobert ...
Auch die hinterhältige Hexe Gundel Gaukeley versucht wieder einmal ihr Glück. Der Hexenrat erlaubt ihr ausnahmsweise, einen Tag lang eine normale Frau zu sein. Ohne ihre Hexenkräfte gelingt es ihr natürlich, Onkel Dagoberts Antihexenalarm zu überlisten und als Geschäftsfrau in den Geldspeicher zu gelangen. Ob sie seine Nummer eins aber tatsächlich in die Finger kriegt? Abwarten!
Vor der berauschenden Kulisse der Niagarafälle wird es schließlich richtig gefährlich. Im Auftrag von Onkel Dagobert sollen wir ein stillgelegtes, einstmals hochmodernes Kraftwerk inspizieren. Doch als wir im Inneren auf einige Erfindungen des genialen Erbauers stoßen und Onkel Donald versehentlich mit einer der Maschinen einen Doppelgänger seiner selbst kreiert, wird die Situation ziemlich bedrohlich. Denn der zweite Onkel Donald ist darauf aus, uns und ganz besonders unseren Onkel aus dem Weg zu räumen ...

Wir wünschen euch jede Menge Spaß mit diesen Geschichten!

Eure
Tick, Trick und Track

Gorm Transgaard (Story), **Fecchi** (Zeichnungen)

Natürlich fragte ich sogleich ein Stammesmitglied nach dem Geheimnis dieses hervorragenden Haarwuchses!
Das Ganze ist ganz und gar nicht geheim, mein Guter.

Wir essen Lockoblätter! Da wächst, wirbelt und wuchert jedes Haar. Probieren Sie es doch selbst einmal!
Wie? Lockoblätter?

Es handelt sich um eine kleine, kolossal kostbare Pflanze, die auf diesem Eiland gedeiht und die hier nach meinen Erkenntnissen bei fast jeder Mahlzeit mit auf den Tisch kommt.
Schluck. Ich habe gerade eine Eingebung! Genau wie Onkel Dagobert!
Was ist los?

Stellt euch vor, einen kurzen Augenblick hab ich so gedacht und gefühlt wie er.
Aha. Und woran hat er gerade gedacht?

Wie immer: ans große Geschäft! Und wie man mit diesen Lockoblättern Millionen scheffeln kann!
Das klingt wirklich ganz nach ihm!

Warum versuchen wir nicht einfach selbst, aus dieser Idee Kapital zu schlagen?
Wie sollten wir das?

Dazu brauchen wir auf jeden Fall Onkel Dagoberts Hilfe! Ich hab schon einen Plan...
Wahnsinn! Wenn das klappt, dann sind wir die jüngsten Millionäre von Entenhausen.

Die Kinder bereiten sich gründlich vor und...
Ihre Großneffen bitten um eine Audienz, Herr Duck.

Macht's kurz, Kinder. Ich bin beschäftigt und hab keine Zeit zu verlieren.
Wer hat das schon! Auch wir sind selbstredend rein geschäftlich hier!

Wir möchten dir eine Idee für ein revolutionäres Neuprodukt vorstellen. Es ist...
...eine Tinktur, die sogar auf einer Bowlingkugel noch Haare sprießen...
...lässt. Noch Fragen?

Ach, Kinderchen! Seit Urzeiten versuchen sich Wissenschaftler an einem Mittel gegen Haarausfall und Glatzenbildung. Jedoch ohne jeglichen Erfolg!
Es tut mir leid, aber aus eurer Idee wird nichts.

Vermutlich haben sie eben keine Lockoblätter verwendet.
Was? Wie war das?

Das ist eine Pflanzenart, die so selten ist, dass sie nicht einmal in unserem Schlauen Buch aufgeführt wird.
Hm... dann ist sie wirklich selten.

Schau dir mal diese Fotos an. Die Mitglieder dieses Stammes essen die Blätter wie Popcorn. Na, fällt dir was auf?
Hoppla. Wie kann das denn möglich sein?

Nur mal nebenbei, wo sind diese Wunderblätter denn zu finden?
Genau das ist unser Geschäftsgeheimnis. Hehe!

Wir verraten es erst, wenn du diesen Vertrag unterzeichnet hast.
Sieh an. Ihr wollt mir also ein Geschäft vorschlagen?

Hmm... ich soll also alle Ausgaben übernehmen, aber der Profit wird zwischen beiden Parteien geteilt.
Absolut fair! Kommt ja von uns! Keine Tricks dabei!

Kinder, euer Unternehmergeist beeindruckt mich. Wir sind im Geschäft!
Hurra!

Schon bald machen sich die Geschäftspartner auf die Reise...
Es handelt sich also um einen primitiven Stamm, der auf einer winzigen Insel namens Toupee lebt?
Exakt. Das ist eine dieser zahllosen kleinen Inseln im Pazifik. Und das ist vermutlich der Grund, warum die Blätter noch vollkommen unbekannt sind.
Aber bald schon nicht mehr!

Noch sind wir nicht da. Wo genau wohnt dieser Stamm hier auf diesem Eiland?
Da werden wir wohl die Einheimischen um Hilfe bitten müssen.

Immerhin ist Toupee ein wunderbares Fleckchen Erde.
Nicht halb so wunderbar, wie es unser Gewinn sein wird.

Sie suchen einen ortskundigen Führer? An Ihrer Stelle würde ich Crazy Carl fragen.
Crazy Carl?

So heißt er, ja. Sie finden ihn im Inneren dieses Flugzeugs.
Im Inneren? Will er denn irgendwo hinfliegen?

So richtig gefällt mir das nicht, Kinder! Vom Namen mal ganz abgesehen! Aber na ja, lasst uns zumindest mal nachschauen.

Crazy... äh... Ich meine: **Carl!**
Hallo! Wo sind Sie denn?

Hier bin ich! Klettern Sie einfach rein.
Hm... na schön.

Meine Güte! Das ist aber mal eine Menge Zeug!
Bett, Herd, Fernseher... hier kann man ja richtig wohnen.
Genau das tue ich. Deshalb nennen sie mich crazy, also verrückt.

Soll wohl cool klingen. Tja, die Anglizismen! Egal, ich kann mein Haus jedenfalls überallhin mitnehmen. Ist doch praktisch, oder?
Absolut!
Könnten Sie uns zum Stamm der Wollies fliegen?

Kein Problem, der Tank ist voll! Ich bin so weit, wenn ihr es seid...
Wie wäre es dann mit sofort?

Ich will ja nicht unken, aber Ihr Flugzeug macht nicht gerade den frischesten Eindruck!
Das täuscht!

Diese Maschine ist die sturste, aber zugleich verlässlichste alte Dame, die...
Oha!

Diese Geräusche sind neu. Und sie missfallen mir. Sogar sehr!
KLOCK!
KLANG!
TOCK!

Glbs! Um den Lärm sollten wir uns am wenigsten sorgen, will mir scheinen.

Ich kann sie nicht mehr lange in der Luft halten. Schnappt euch die Fallschirme und springt!
Aber... was wird denn dann aus Ihnen?

Fallschirme schnappen und springen, sagte ich! Und zwar sofort!

Ups!
Es geht abwärts.
Ich bin nur froh, dass ich hart verhandelt und nicht mehr als 19 Taler pro Person für diesen Flug bezahlt habe.
Denk lieber an Carl! Der müsste auch langsam mal da raus.
Stattdessen versucht er verzweifelt, das Flugzeug wieder in den Griff zu kriegen.
O nein!
KRACKS!
Er hat es wohl nicht über sich gebracht, sein fliegendes Heim zu verlassen...
Hoffen wir, dass es ihm gut geht.

Immerhin, unsere Freunde landen sanft und sicher. Und schweren Herzens stapft man trotzdem tapfer durch den Dschungel...
Mir scheint, ich habe als Einziger noch rechtzeitig vor dem Absprung meinen Rucksack angelegt.

Tut uns leid! Wir waren etwas durcheinander.
Das kann ich gut verstehen, Kinder!

Das Problem ist nur, dass wir das Mobiltelefon und den Kompass in euren Taschen verstaut hatten.
Das ist ja eine Katas-trophe!

Ich fürchte, dann sind wir verloren.
Was ist denn in deinem Rucksack, Onkel Dagobert?
Nutzloses Zeug, zumindest in unserer derzeitigen Lage.

Wabba-tabba!
Huch!
Sieh dir diese feisten Frisuren an! Die müssen zum Stamm der Wollies gehören.
Wichtiger wäre, dass sie uns freundlich gesonnen sind!

Seien Sie gegrüßt... äh, wir kommen in Frieden.
Wu, ba, wei!

Das heißt vermutlich so viel wie: Folgt uns!
Sie wirken absolut primitiv. Eben wie Wilde!

Dann lasst uns inständig hoffen, dass sie nicht vorhaben, uns irgendwelchen irren Idolen zu opfern!
Und dass sie keine Kannibalen sind!
Wambesi, murato, suuh!

Das scheint wohl ihr Dorf zu sein!
Und der Dicke da ist wahrscheinlich ihr Häuptling oder so was Ähnliches.
Unsere ehrerbietigsten Grüße, großer Häuptling. Wir wollen Ihnen nichts tun.

Davon möchte ich doch ausgehen... obwohl es nicht erklärt, was ihr hier zu suchen habt.
Was? Sie sprechen ja unsere Sprache!

Aber die anderen dort...
Wir doch auch! Wir haben uns nur einen kleinen Spaß erlaubt, **haha!**
O ja! Haha! Ihr hättet eure Gesichter sehen sollen. Köstlich!

Wahnsinnig witzig. Ganz feiner Humor. Hmpf! Wir sind jedenfalls hier, um Lockoblätter zu kaufen!
Nur deshalb habt ihr die weite Reise unternommen?

Warum habt ihr mir nicht einfach eine E-Mail geschickt?
Ist das jetzt wieder so ein Wollie-Witzchen?

Diesmal nicht. Unser ganzes Dorf verfügt über drahtloses Internet. Wofür haltet ihr uns? Für Wilde? Primitive? Kannibalen?

Nun... wir haben eine Fernsehdokumentation über Ihren Stamm gesehen und...
Ja, haha! Das war doch ein Riesenspaß, oder?

Jedes Mal, wenn hier Forscher auftauchen, verstecken wir Satellitenschüsseln, Laptops und die anderen Errungenschaften des technischen Fortschritts und spielen echte Eingeborene. Eine Mordsgaudi! **Hihihi!**
Das ist genau das, was die Menschen sehen wollen.

Na, ist ja auch egal! Ich lasse jedenfalls gerne Locko-blätter für euch suchen.
Bitte sagen Sie Ihren Leuten, sie sollen nach einem Mann namens Crazy Carl Ausschau halten. Sein Flugzeug ist nämlich abgestürzt.

O nein! Der gute Carl ist abgestürzt?
Kennen Sie ihn denn?

Aber natürlich! Er versorgt uns schließlich mit den Segnungen der Technik und er nimmt sich immer Zeit für unsere Witzeleien.
Wir gehen ihn jetzt suchen, Chef!

In der Zwischenzeit können wir über unser Geschäft reden.
Nur zu gern. Ich denke, ich halte hier eine ge-eignete Gegenleistung in meinen Händen.

Ooh! Perfekte Perlen! Ich bin beinahe geblendet von ihrem Glanz und Glitter.

Jetzt können wir unsere Erstgeborenen standesgemäß schmücken, bevor wir sie feierlich dem Großen Xuluzch opfern!

Ich denke, das ist wieder einmal dieser sehr spezielle Wollie-Humor...
Meinst du?

Genug gelacht. Wir bevorzugen gutes Geld statt glatter Glasmurmeln. Nur Bares ist Wahres!
Ähem! Aber ja... ganz wie Sie es wünschen.

Kommt nun und genießt ein letztes Mahl, bevor wir euch den Heiligen Krokodilen zum Fraß vorwerfen.
Sollte man uns nicht eher dem Großen Xuluzch opfern? Hehe.

Wenig später...
Habt ihr eine Spur von Carls Flugzeug entdeckt?
Leider nicht. Er ist wie vom Erdboden verschluckt.

Am nächsten Morgen bereiten die Ducks ihre Abreise vor...
Und wir können also jederzeit weitere Lockoblätter bestellen, wenn wir welche brauchen?

Klar. E-Mail genügt. Versprochen ist versprochen!
Eine Sache wäre da noch...

Wir finden niemals allein und ohne Hilfe aus diesem Dschungel heraus.
Wenn's weiter nichts ist...

Hier ist ein mobiles Navigationsgerät. Die richtigen Koordinaten sind schon eingegeben. Geht ganz einfach.
Das ist ja grandios!

Nochmals danke für alles! Auf Wiedersehen!
Ich wünsche euch eine sichere Heimreise! Vergesst nicht, mich über Farcebook zu kontakten, ja?

Der stundenlange Marsch zermürbt Gebein und Gemüt...
Uff! Ich bin platt, platt gesagt. Und hungrig. Wie wär's mit einer Pause?
Ich bin dabei. Wir rasten hier und futtern was Feines aus unseren Fresspaketen.

Komm, Trick, hilf mir mal mit dem Lagerfeuer.
Gleich, ich überprüfe nur kurz die Koordinaten und...

Auatsch!

Was ist denn los?
Ich hab mich in einen Ameisenhügel gesetzt!

Schluck! Aber es kommt noch schlimmer...
Wieso?

Mir ist dabei das Navi-Teil in den Sumpf geplumpst.
O nein!

Leider doch. Das Ding ist weg!
Selbst wenn wir es wiederfinden würden, wäre es sicher nicht mehr zu gebrauchen, fürchte ich.

Hat sich jemand von euch gemerkt, wie wir zu den Wollies zurückkommen?
Klar. In die Richtung müssen wir marschieren!

Da irrst du dich. Wir müssen hier lang!
Ihr irrt euch alle beide. Das ist der Weg!

Klasse, Jungs! Wir haben uns also verirrt!

Jetzt können wir nur noch hoffen, dass das Glück doch auf unserer Seite ist. Kommt, Kinder!

Aah! Seht doch! Da oben!

Das ist das Flugzeug von Crazy Carl! Verrückt!
Sei aber lieber vorsichtig, Tick. Du weißt nicht, was dich im Inneren erwartet!
Ich traue meinen Augen kaum!

Sind Sie unverletzt? Geht es Ihnen gut?
Aber ja, mir geht es bestens! Die hohen Bäume haben meinen Sturz abgefedert und mich wunderbar weich landen lassen.

Und Sie waren wirklich die ganze Zeit hier oben?
Hätte ich etwa im Urwald umherirren sollen? Ich hab doch Proviant für Monate dabei.

Sie hätten doch um Hilfe rufen können.
Eben nicht. Das Funkgerät ist leider schwer beschädigt und mein Mobiltelefon hat hier keinen Empfang!

Haben Sie denn wenigstens einen Plan, um von hier wegzukommen?
Logo, hihi. Den gleichen Plan wie für mein gesamtes Leben.

Der da lautet?
Nur die Ruhe! Irgendwas passiert immer!

Ich hätte da schon eine Idee.
Seht ihr? Genau, was ich sage!

Wie voll ist denn diese Gasflasche?
Ziemlich voll. Außerdem hab ich noch zwei dabei.

Dann wollen wir mal. Track, du nähst die Bettbezüge mit den Fallschirmen zusammen.
Ah, ein langes Seil! Genau das, was wir brauchen!

Das alte Bett hier gibt sicher eine gute Gondel ab, oder?
Das will ich meinen. Ein Glück, dass Carl das ganze Zeug im Flieger gehortet hat.

Einige Stunden später...
Sind alle bereit für den Start?

Kapitän Trick und seine Mannschaft wünschen Ihnen einen angenehmen Flug.
Schnüff! Leb wohl, altes Mädchen, und pass gut auf dich auf!
Gute Arbeit, Kinder!

Na bitte! Von hier oben können wir sogar schon die Stadt sehen.

Dann also: Volle Kraft voraus!
Ich kann es kaum erwarten, endlich wieder nach Entenhausen zu kommen!

Wo unsere unternehmungs-
lustigen Freunde auch
letztlich landen...

Und nach einer schier
unendlich langen
Woche...
TUUUT!
Hört ihr? Das
muss Onkel
Dagobert sein!
Endlich!

Ich habe gerade erfahren, dass
die Testergebnisse bereit-
liegen. Ich vermute
mal, ihr drei
wollt gerne
mitkommen,
oder?
Nichts lieber
als das!
001

Ihr könnt gespannt sein! Die Tinktur
aus den Lockoblättern wurde an drei
menschlichen Versuchskaninchen mit
normalem Haarwuchs getestet.
Das Resultat ist sicher
mehr als haarig!

Wird's bald?
Präsentieren Sie
uns die Resultate!
Äh... aber ja...
wenn Sie darauf
bestehen.

Der Anblick spricht wohl für sich, fürchte ich!
Es glänzt und blinkt! Von Haaren keine Spur! Wie kommt das nur?

Hrmpf! Woher hattet ihr noch mal die Information, dass diese Lockoblätter gut für den Haarwuchs sein sollen?
Dr. Dröge, der Forscher aus der TV-Dokumentation, hat das behauptet!

Dann bin ich mal gespannt, was uns dieser Scharlatan jetzt dazu zu sagen hat!
WROMM!
001

Tja, die Wahrheit dämmerte mir dummerweise erst nach Ausstrahlung der Sendung.
Denn neben ihrem natürlich bedingt beachtlichen Haarwuchs haben die Wollies auch einen besonderen Sinn für Humor...

In meinem Fall machten sie sich einen Spaß daraus, mich jede Menge Lockoblätter essen zu lassen.
Was ich natürlich gerne tat...

...um dann herauszufinden, dass diese völligen Haarausfall verursachen!
Uaah!

Köstlich, hihi! Man muss zumindest zugeben, dass diese Knaben kolossal komisch drauf sind.
Komisch nennt ihr das? Ich finde es eher komisch, dass ihr kessen Knaben nicht einfach mit dem Doktor geredet habt, statt mich zu dieser teuren Reise zu überreden!

Ihr versteht genauso viel von Geschäften wie euer Onkel: nämlich gar nichts!
Jetzt mach aber mal halblang, Onkel Dagobert! Wo bleibt denn dein Sinn für Humor?
ENDE

Riccardo Pesce (Story), **Vitale Mangiatordi** (Zeichnungen)

Zum Beispiel eine gasbetriebene Straßenlaterne oder das Auto des sagen-umwobenen ersten Phantomias!

Warum schleppt ihr eigentlich immer noch diese Schwarte mit euch herum? Das ist doch die blanke Steinzeit!

Papierschiffchen haben ausgedient. Moderne Menschen wie ich bereisen die Welt auf digitalen Dampfern, einmal so ausgedrückt.

Bei diesem Besuch im Museum begleiten mich beispielsweise eine Videokamera für die bewegten und eine Digitalkamera für die bewegenden Bilder.

Und nur für den unwahr-scheinlichen Fall, dass mich die Langeweile überkommen sollte, habe ich einen DVD- und einen MP3-Player eingepackt.

Nicht zu vergessen natürlich auch die wichtigste Verbindung zur Außenwelt: mein nagelneues Handy!
MENÜ
TÜDELÜ

Es soll Leute geben, die haben sogar verlernt, mit eigenen Augen zu sehen.
Wollt ihr denn nicht, dass ich euch erkläre, was für geniale Funktionen das Schmuckstück hat?

Nein. Bis du die selbst kapiert hast, ist die Ausstellung geschlossen!

Hmpf! Warum müht ihr euch mit der Tafel ab? Das Museum bietet ein Navigationssystem für Handys an!
VERWALTUNG
NACH OBEN
FAHRZEUGE
PRÄHISTORISCH
NACH UNTEN
FLUGGERÄTE
HIER LANG
MPFZEITALTER
DA LANG
DIGITALES ZEITALTER
WER WEISS?
RMATIONEN
GIBT'S NICHT

Und während ihr in eurem ebenso speckigen wie sperrigen Schinken schmökert, lasse ich mich in aller Seelenruhe von diesem elektronischen Museumsführer mit den nötigen Informationen berieseln.
Pfah! Schnaub!
RUND-GANG

Ich führ's euch vor. Sperrt die Lauscher auf!
SPRACH-AUSWAHL
TIPP! TIPP! TIPP!

?!

Ganz ehrlich, wenn's um Chaos geht, macht dir so schnell keiner was vor, Onkel Donald.
Tja, ich fürchte, da hab ich mich ein wenig mit den Tasten vertan.
切刺助包勝 双后向叱勆卦受 哺吽只又
ЦЧВДЩЖ ЙЛПРВДЛН ЗИПРВ

Ich verzichte wohl besser auf schlaue Belehrungen und beschränke mich aufs Schauen.
Hrmpf!

Aber weil man beim bloßen Schauen nur die Hälfte sieht, fotografiere ich die Schätze mit meiner Digital-kamera.
FOTOGRAFIEREN MIT BLITZLICHT VERBOTEN!
Warte, Onkel Donald! Da ist...

Sie da, junger Mann! Bevor Sie etwas Falsches tun, sollten Sie sich erst richtig kundig machen! Haben Sie das Schild nicht bemerkt?
Wie?

Welches Schild denn?
BLITZ!

Argh! Meine Augen! Sie haben mich geblendet!
Jetzt meldet sich auch noch das Handy!
BRIPP!
BRIPP!

Das nervt!
Es ist wie verhext! Ich krieg das Teil einfach nicht abgeschaltet!
Schnaub! Grunz!
BRRRIPP!
BRIPP!

Irgendwie ist die Tastensperre reingerutscht!
LETZTE GASLATERNE VON ENTEN-HAUSEN
BRRRIIPP!

ROAR!
Und ich hab als Rufton ausgerechnet den „Brunftschrei des Brontosaurus“ gewählt!

ROOARR!
KLIRR!
KRICKS!

Mann! Du hast die letzte Gaslaterne von Entenhausen geschrottet!
Du liebe Güte! Und ihr denkt nicht, dass sich das irgendwie wieder kitten lässt, Kinder?

Blindich! Was ist das für ein Krach in meinem Museum?
Den haben diese Vandalen dort veranstaltet, Herr Direktor!
MODELL

O nein! Das Symbol für Wandel und Wohlstand unserer Vaterstadt! Wer hat dieses Unheil angerichtet?

Dieser moderne Firlefanz führt zuverlässig zum Fiasko, sobald man ihn anfasst!
?!

In den Kehricht mit dem Krempel! Da gehört er hin, der ganze digitale Dreck!
KRACH!

Ich bin tief beeindruckt...

...wie Sie das Problem durchdacht und mit ruhiger Hand angehen! Respekt, mein Freund!
?!

Gestatten, Professor Dorian Dampfrössler, Direktor dieses Museums!

Sie tun gut daran, die Jugend vor der Vielzahl der virtuellen Versuchungen zu bewahren!
TÄTSCHEL!

Also, wenn ich ganz aufrichtig bin...
Sie sind ein Held, wissen Sie das? Ich bewundere Sie! Ihre Haltung ist absolut verehrungswürdig!

Oh, tatsächlich? Also, das höre ich eher selten.

Die Welt braucht Menschen wie Sie, die mit Mut und Entschlossenheit den elektronischen Exzessen unserer Zeit die Stirn bieten!
Nun ja...

In aller Bescheidenheit möchte ich mir schon zugutehalten, dass ich versuche, meine Neffen zur Mäßigung auf diesem Gebiet zu erziehen.
Nun hört euch den an, Brüder!
Da traut man doch seinen Ohren nicht!
Schlecht könnte es einem werden bei so viel Scheinheiligkeit!

Wissen Sie, es ist mir ein Herzensanliegen zu verhindern, dass Heranwachsende sich im Dickicht des digitalen Dschungels verirren.
Ja, wie wahr! Es ist unsere Aufgabe, die nachfolgende Generation vor diesen Gefahren zu schützen!
Ich tue mein Möglichstes, Herr Direktor!

Sie gefallen mir! Und deshalb mache ich Ihnen einen Vorschlag!

Sehen Sie, ich suche händeringend nach Mitarbeitern Ihres Schlages, die mit den Werten einer großen Vergangenheit der schleichenden Überwucherung durch die moderne Technik entgegentreten!
TECHNISCHES M

Mit anderen Worten... wenn Sie wollen, können Sie sofort als Leiter der Abteilung für industrielle Archäologie beginnen!
Da muss ich keine Sekunde lang überlegen, Herr Direktor!

Habt ihr das gehört, Jungs? Euer Onkel hat gerade eine Blitzkarriere hingelegt!

Apropos hingelegt... die Freude war wohl zu viel für die Kleinen!
Stöhn!

Das Publikum zeigt keinerlei Interesse an den Errungenschaften unserer Vorväter. Heutzutage ist jedermann nur noch besessen von moderner Technologie.

Hallo, ihr Würmlinge! Ich sehe mit Vergnügen, dass ihr euch zu einem lehrreichen Morgenspaziergang durch die Wunderwelt meiner Museumsabteilung aufgerafft habt!
ABTEILUNG INDUSTRIELLE ARCHÄOLOGIE
Guten Morgen, Onkel Donald!

Wo wollt ihr beginnen? Bei den Dampflokomotiven oder der Gaslaterne? Es hat sich nämlich noch eine zweite letzte im Archiv gefunden.

Keine Zeit! Wir wollten nur fragen, ob du auf unser Handy aufpassen kannst, wenn wir den Akku hier aufladen.

Heißt das, ihr interessiert euch nicht für die Vergangenheit eurer Heimatstadt?
Ach, weißt du, Vergangenheit war doch gestern.

Wir gehen lieber in die Abteilung nebenan. Das Institut für Zukunftsforschung! Bis später!

Nicht lange danach...
Ein Meisterwerk der Mechanik, nicht wahr? Ja, der erste Phantomias war stets auf der Höhe seiner Zeit!

Tja, das versuchen die Leute heutzutage auch zu sein. Leider vergessen sie darüber völlig das Schöne im Vergangenen.

Es ist wahrlich zum Verzweifeln! Neuerdings scheint doch kein Mensch mehr ohne Internet und Handy auszukommen! Diese neuen Technologien verändern unser Leben von Grund auf. Und nicht unbedingt zum Besseren.

Aber auch nicht nur zum Schlechteren, Herr Direktor, so viel Aufrichtigkeit muss bei aller Kritik schon sein.

Ich jedenfalls freue mich darauf, die Fußballübertragung heute Abend vor meinem neuen Fernseher mit hochauflösendem Bildschirm genießen zu dürfen!
Hmm.

Seht mal, ich hab eine neue Uhr! Jetzt seid ihr neidisch, was?

Pah! Kannst du knicken, die alte Zwiebel!
Schau dir unsre schicken Ticker an! Funkgesteuert! Logisch!

Ich hab einen neuen Ball! Da guckt ihr, ha?

Nicht halb so dumm wie du, wenn's regnet!
Computerspiele sind mir lieber!
Schluck!
RUMPEL!

Hrrrmpf!
ROMMS!

Tut mir leid, dein Brief kam heute erst an! Ich hab mich inzwischen schon per E-Mail mit jemand anderem verabredet.
Seufz!

Herr Direktor? Es ist schon spät. Sollten wir nicht langsam schließen?

Sie haben recht, Herr Duck. Höchste Zeit, dass wir nach Hause kommen.

TECHNIS
ENTENK
Schönen Feierabend! Bis morgen früh!
Ihnen auch einen schönen Abend, Chef! Schauen Sie sich auch das Pokalendspiel zwischen Entenhausen und Ferklstadt an?

Wenn Sie mich so fragen...

...eher nicht! Ich hab Besseres zu tun, als mir die Nacht vor der Glotze um die Ohren zu schlagen!

Wenige vor mir hatten überhaupt Kenntnis von dieser Geheimtür hinter dem Schrank.

Und kaum einer weiß noch, dass das Museum einst über dem alten unterirdischen Dampfkraftwerk erbaut wurde.

Aber vor allem ahnt niemand im Entferntesten, dass sich hier das Hauptquartier von Ritter Analog und seiner mechanischen Mähre befindet!

Die Zeit ist gekommen, all der digitalen Arroganz, dem selbstverliebten Hochmut der heutigen Technologie den Kampf anzusagen!

Handys, Computer, I-Pads, Pods und Plasmaschirme, nehmt euch in Acht! Euer Ende ist nah! **Hahahahaaa!**

Ich habe ein Gerät entwickelt, das fähig ist, diesen Scheußlichkeiten mit ihren modernen Schaltkreisen schlagartig den Garaus zu machen!

Ich werde dafür sorgen, dass die Menschen das Zeitalter der Mechanik wieder schätzen lernen!

Nicht lange und die neue Generation wird der Dampfkraft wieder den ihr gebührenden Respekt erweisen!
HA! HA! HA! HA!

Liebe Zuschauer, das Spiel des 1. FC Entenhausen gegen Freudenreich Ferklstadt steht kurz vor dem Anpfiff!

Entenhausen vor! Haha, auf dieses Match freue ich mich schon seit Wochen!
TROOOT!

Für den Anfang werde ich mir wahllos einige Schüsseln aus dem Wald von Parabolantennen herauspicken.
ZOSCH!
123

Und morgen redet die ganze Stadt von Ritter Analog und seinem Dampfross!
ZOSCH!

Neiiin! Zappenduster! Ausgerechnet jetzt! Mir wird gleich schwarz vor Augen.
POFF!

Am nächsten Tag...
Macht hundert Taler. Garantie ist gestern abgelaufen. Nicht gerade der geborene Glückspilz, wie?
Nie gewesen. Aber als Pechvogel bin ich der Vollprofi.
ETV 1 NACHRICHTEN

Nachrichten! Inzwischen ist der Grund für die zahlreichen plötzlichen Ausfälle von Fernsehantennen in Entenhausen bekannt geworden.
Ach?
ETV 1
NACHRICHTEN

Wir erhielten die... äh... Schallplatte eines Bekenners, die sich nur auf einem alten Grammofon abspielen lässt.

Was Sie gestern Abend erleben durften, war lediglich der Anfang! Bald werde ich mit meinem mächtigen Analogstrahler sämtliche digitalen Geräte der Stadt lahmgelegt haben!

Das Zwitschern der elektronischen Zwielichtzone wird verstummen! Nicht lange, und alle Gespräche werden wieder mit guten alten analogen Telefonen geführt!

Eine schreckliche Drohung! Ich fürchte, das ist nicht das Letzte, was wir von diesem seltsamen Ritter Analog gehört haben!

Furchtbar! Was für eine Vorstellung!
Wohl wahr! Wenn der Kerl so weitermacht, werde ich Überstunden schieben müssen bis zum Abwinken!
ENDE

Sieht so aus, als hätte die Nachricht eine gestandene Panik in der Stadt ausgelöst!
Schnauf... keuch... Ich werde meine Antenne vorsichtshalber im Safe meiner Bank einschließen!
Ich misstraue den Banken! Mir bleibt keine Wahl, als mein Handy im Garten zu vergraben!

Wenig später...
Höchste Zeit, dass sich der Superheld in Schale wirft und diesem verbissenen Technikverächter auf den morschen Zahn fühlt!

Finden dürfte nicht schwer sein. Ich brauche nur der Spur der Zerstörung zu folgen!

Obwohl... die Erfahrung lehrt, dass zu viele Spuren auf einmal ziemlich zuverlässig ins Nichts führen!
Tut mir leid, Leute! GPS ausgefallen! Und ohne ist man ja aufgeschmissen.
EMMA II
?!

O nein! Mein Handy ist futsch!
Wie sollen wir nun miteinander reden?

Kein Problem, Kinder! Dafür gibt es seit eben Kuno Knäuls Brieftaubendienst!
Ups!

Harhar! Das Ziel ist nahe! Schon ist die Stadt in ihren Grundfesten erschüttert!
GLOPP!
GLOPP!
GLOPP!
GLOPP!

Was zum Kuckuck...
KRIEK!
Aha! Der maskierte Rächer! Mit dir habe ich natürlich gerechnet!
Warum hast du den ganzen Zauber dann überhaupt aufgezogen? Jetzt ist jedenfalls Ende der Vorstellung. Das Publikum dankt.

Falsch! Der Vorhang senkt sich erst, wenn ich mein Ziel erreicht habe! Und das wird nicht mehr lange dauern!

Das nächste Opfer meines mächtigen Analogstrahlers ist der Mobilfunkmast auf der Erpelkuppe! Damit endet alle digitale Drangsal!

Und es beginnt ein neues Zeitalter der analogen Annehmlichkeiten! **Huaha!**
HO!
HO! HA!

Du wirst nicht Hand an Millionen von Handys legen! Das werde ich zu verhindern wissen!
Huchje! Du machst mir ja richtig Angst!

Glaubst du im Ernst, du kannst mich mit deinem modernen elektronischen Schnickschnack aufhalten?

Ich weiß es. Mein Schockstrahler hat schon manchen selbst ernannten Superschurken vom Sockel geschubst!

Digital gesteuert, wie heute üblich! Und damit hat dein Spielzeug nicht die geringste Chance gegen meinen...

...Analogstrahler!
Uack!
ZASCH!

Autsch! Hi-Hilfe!
KRACK!

Du entschuldigst mich! Ich habe noch zu sabotieren!

Die Runde geht an dich! Aber bilde dir keine Schwachheiten ein, ich bleibe dir auf den Fersen!

Doch...
O nein! Der elektrische Anlasser streikt!
POFF!
PAFF!
KLICK! KLICK!

Hahaha! Nichts und niemand kann mich aufhalten! Weiter mit Volldampf voran!
Schnaub!
GALOPPEL! GALOPP!

Wenig später...
Gegen diesen aasigen Analogstrahler kann ich mit meinen modernen Waffen nichts ausrichten.

Ich bräuchte irgendwas Antikes. Hmm...

Herrje! Schon so spät? Höchste Zeit, dass ich zur Arbeit komme!

Ich fürchte, in diesem Fall kann mir nicht mal der Herr Ingenieur aus der Patsche helfen.
DANIEL DÜSENTRIEB ERFINDER & GENIE
NUR VOM MODERNS-TEN!

Der macht nun mal in elektronisch und digital, und so was kann ich jetzt am wenigsten brauchen.

Aber wenn ich diesen analogen Attentäter nicht bald aufhalte, bombt... oder eher strahlt er Entenhausen in die technische Steinzeit zurück!

In derselben Nacht...
Endlich ist der Apparat installiert, mit dem ich die Satelliten im Orbit erreichen kann!

Uff! Ich gebe zu, ein kleines Manko haben diese alten Maschinen schon... sie sind elend schwer und von vergleichsweise beschränkter Handlichkeit.

Aber egal! Jetzt muss ich nur noch in mein Hauptquartier zurückkehren und tüchtig Dampf unter dem Kessel machen, um meinem Analogstrahler die zusätzliche Kraft zu geben, die er braucht, um auf die große Entfernung seine volle Wirkung zu entfalten!
Lauf, mein tapferes Dampfross! Bald beginnt die große Zukunft der Vergangenheit!

Ich würde eher sagen, deine Zukunft ist Vergangenheit, bevor sie überhaupt in der Gegenwart ankommt!
WROMM!

Wie kann man so hartnäckig sein? Aber bitte, jeder hat das Recht auf eine zweite Niederlage!

Hahaha! Jetzt versuch mal, zu Fuß Schritt zu halten mit meiner mechanischen Mähre!
WROMM!
ZOSCH!

Die Mühe kann ich mir sparen, weil dein Analogstrahler diesmal keinerlei Schaden angerichtet hat!

Was? Das versteh ich nicht! Wieso zeigt dein Wagen keine Wirkung?

Sagen wir so... er hat zu viel Erfahrung auf dem Buckel, um sich von deinem Dampfkraft-krempel beeindrucken zu lassen!

Tatsächlich? Und wie bist du an das Schmuckstück gekommen?
Nichts einfacher als das! Ein Besuch im Museum hat genügt. Außerhalb der Öffnungszeiten, versteht sich.
BREMS!
TECHNISCHES MUSEUM ENTENHAUSEN
ZISCHEL!
„Und ein frisch gesammelter Schwefelköpfiger Samtfußrübling, versetzt mit einer geheimen Spezialtinktur, hat mir problemlos Tür und Tor geöffnet."

„Mein Ziel war etwas, das seit Jahren darauf wartet, aus seinem Dornröschenschlaf geweckt zu werden: der Wagen des ersten Phantomias!“
Schnaub! Ich verabscheue dich, Sklave der Neuzeit!
Was zählt, ist immer noch das Ergebnis!
Analogstrahler Volldampf voraus!
ZOOSCH!
Hast du es noch immer nicht verstanden? An diesem Fahrzeug gibt es keine digitalen Bauteile, und darum ist dein Analogstrahler für die Katz!

Pah! Der Vorteil eines Rosses ist, dass man den Gegner einfach in Grund und Boden reiten kann!

Offenbar hat der erste Phantomias mit ähnlichen Angriffen gerechnet und sich mit einem Rostbeschleuniger gerüstet!
WOSCH!

PLOMM!
PRASSEL!

Hrmpf! Du hast mich um den Ruhm und die Welt um die Segnungen eines analogen Alltags gebracht!

Schlage vor, du kletterst aus deinem Kaffeekocher von Kostüm und zeigst dein wahres Gesicht!

Das wird dir wenig nützen, wenn du nichts mehr siehst!
ZOMP!

BOMM!
Verflixt! Eine Dampfbombe! Darauf hätte ich gefasst sein müssen!

Aber es braucht weit mehr, um einen Phantomias aufzuhalten!

O nein! Der Kerl hat sich aus dem Staub gemacht!

Aber ich verwette meine Geheimidentität, dass das nicht unsere letzte Begegnung war.

Leider hab ich nicht die geringste Ahnung, wer in der Rüstung steckt.

Einige Wochen gehen ins Land...
Schauen Sie mal, Herr Blindich! Ich hab endlich die Lösung dafür gefunden, wie sich mehr Besucher in unsere Abteilung locken lassen!
Verstehe, Herr Duck. Und, äh... was muss ich mir darunter vorstellen?
TECHNISCHES MUSEU
Ich hab die alte Dampflok in den Saal mit der letzten Gaslaterne der Stadt geschafft, mit dem Rechner meiner drei Rabauken verkabelt und eine Steuerung angeschlossen.
Ich... ich traue meinen Augen nicht! Eine ferngesteuerte Dampflok, mit der sich unsere Besucher vergnügen dürfen? **Respekt!**
Klasse Idee, Onkel Donald! Da macht der digitale Technikzauber endlich mal handfesten Sinn!

Alles einsteigen und Türen schließen! Der Zug fährt in Kürze ab!

PFI...

...IIIET!
KLIRR!
KRICKS!

Schon wieder! Ich fasse es nicht!

Aber warten Sie nur, bis ich Sie zu fassen kriege, Duck!
Schnauf! Ich fürchte, ich stehe vor den Scherben meiner jungen Karriere im Dienste des städtischen Museumswesens!
ENDE

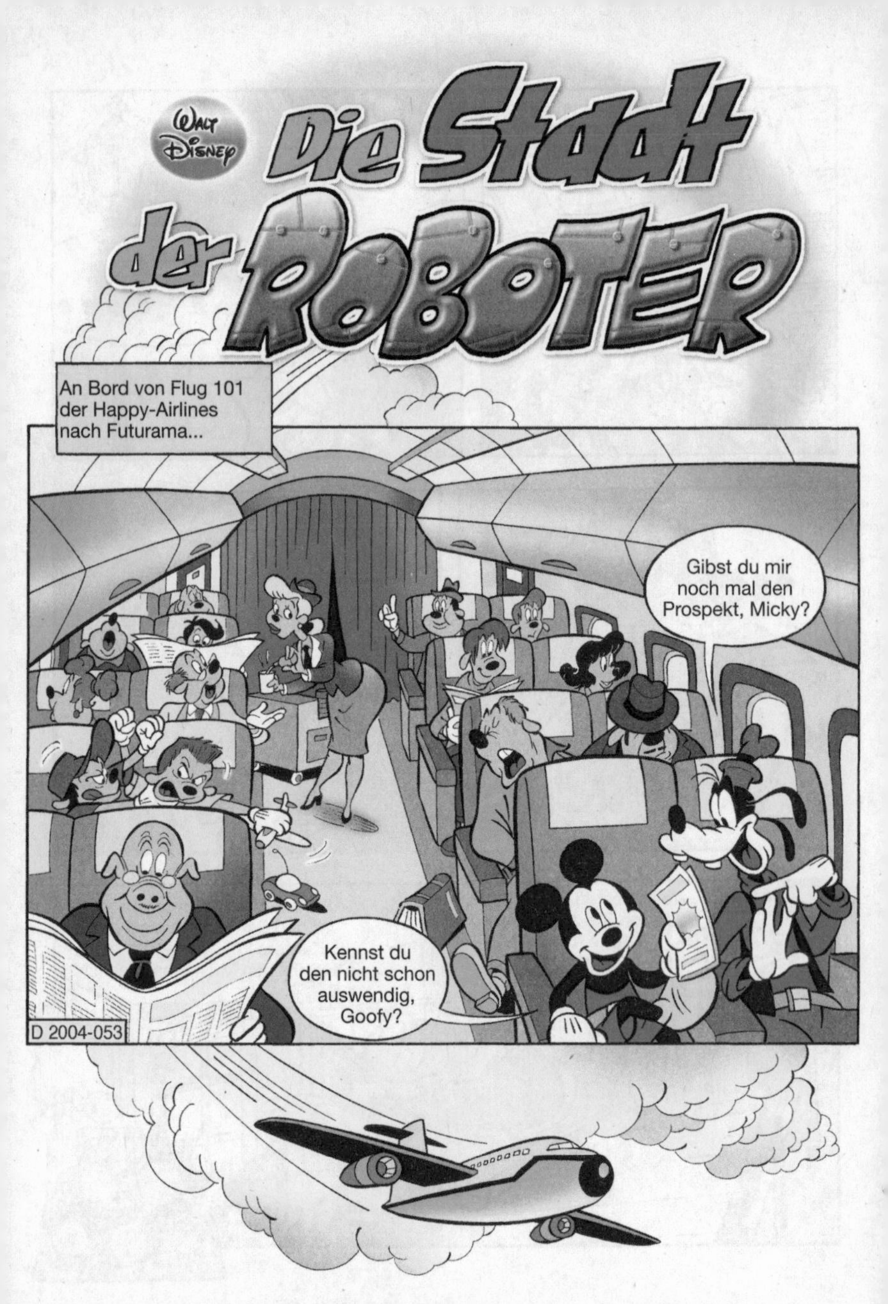

Paul Halas (Story), **Gonzalez** (Zeichnungen)

Nicht ganz! Deshalb muss ich ihn einfach noch mal durchblättern!
„In Futurama ist heute bereits morgen!“
„In der modernsten Stadt der Welt läuft alles vollautomatisch! Dienstbare Droiden nehmen einem sämtliche Arbeiten ab, sogar das Zähneputzen!“
Stell dir das vor! Ich glaube, Futurama ist meine Traumstadt!
Tja, wenn die Zukunft wirklich so aussieht, könnte sie von mir aus gleich beginnen!

Sehr geehrte Fluggäste, leider werden wir einen ungeplanten Zwischenstopp einlegen müssen!

Was hat das denn zu bedeuten, Micky?

SPOTZ!
STOTTER!
POFF!
Oh! Äh... und legen Sie bitte die Sicherheitsgurte an, falls vorhanden!
SKRIIIETSCH!
WOMP!

Wir möchten uns für die Unannehmlichkeiten entschuldigen und hoffen, dass Sie Ihren Bonusaufenthalt in dem schönen, äh...
...Oran Bataar genießen werden!
Fragt sich, wie lange wir hier wohl festsitzen!
PFSSSCH!
Ich bedaure, wir haben ein kleines technisches Problem! Aber unser Mechanikerteam müsste jede Sekunde eintreffen!

Kann uns die Fluggesellschaft nicht ein anderes Flugzeug schicken?
Kaum! Dieses ausgebrannte Wrack **ist** die Fluggesellschaft!
Ah! Da ist das Mechaniker-team!
Nächstes Mal fliegen wir wieder mit Ent-Air!
Die 20 Taler mehr wären wirklich gut angelegtes Geld gewesen!
Ich finde, die Gegend hier hat auch ihren Reiz!
Ich will aber nach Futurama!

GEBRAUCHTWAGEN
Wir sollten uns einen Wagen besorgen! Ich denke, es kann Wochen dauern, bis der Flieger wieder startklar ist!

Du willst doch nicht etwa in einem dieser Wracks nach Futurama gondeln?
TAVERNE
Na ja, das war nur so eine Idee! Wir können ja beim Essen in aller Ruhe darüber reden!

AVERNE
Willkommen, werte Gäste! Sie können alles haben, was heute auf der Tageskarte steht!
Aha! Und was steht da?
Frische Innereien vom Yak in ranziger Butter!
Weißt du was, Micky...
...plötzlich finde ich deine Idee gar nicht mehr so übel!
Versteh einer diese Fremden! Dabei gibt's nirgends so ranzige Butter wie bei mir!

Eine Frage...
Ja?
Hätten Sie nicht ein zuverlässiges Auto für uns?

Zwei Ausländer... hehe! Die werde ich sauber abzocken!
Wie wär's damit? Der hat nur 670000 Kilometer auf dem Tacho und ist für 2,70 Taler zu haben!
GEBRAUCHTW
?
Prima! Den nehmen wir!
GEBRAUCH

Was? 79 Kreuzer für Zelte, Schlafsäcke, Werkzeug und jede Menge Proviant?
Nun ja, äh... preiswerter werden Sie die Ausrüstung nirgends bekommen!

Ich hab ein schlechtes Gewissen, weil wir so wenig bezahlt haben!
Besser, wir fahren zurück und drücken den beiden noch was in die Hand!

Gute Idee! Das machen wir! Sonst kann ich keine Nacht mehr ruhig schlafen!

Da! Die kommen zurück!

Hier finden die uns nie! Hehe!

Die haben wir so richtig ausgenommen!
Tja, wir sind eben schlau!

Wie vom Erdboden verschluckt! Hm... vielleicht ist ihnen Geld ja nicht so wichtig!

Na schön, machen wir uns auf den Weg!

Und der scheint uns durch eine gottverlassene Gegend zu führen, die die Zeit total vergessen hat!

Nicht nur die Zeit, der Kartograf offenbar auch!

Verzeihen Sie, können Sie uns sagen, wohin diese Straße führt?

Ins Land der Metallmänner! Ich an Ihrer Stelle würde lieber umkehren!

Ach, gibt es hier noch echte Ritter?

Nein, das sind keine Menschen, sondern Maschinen! Die Metallmänner leben in Metalltürmen! Mein Großvater hat sie gesehen, aber außer ihm ist nie jemand von dort zurückgekommen!

Danke für den Tipp! Wir werden uns die Stadt mit den Blechbuben mal aus der Nähe ansehen!

Ich hab das Gefühl, wir steuern einer Riesensache entgegen!
He! Was soll das heißen?
AB HIER LASST ALLE HOFFNUNG FAHREN!

Pah! Das ist nur ein altes Schild!
KRACKS!
Mir wird langsam mulmig bei der Sache!
So was! Eine Lichtschranke – mitten im Nirgendwo?
Was bedeutet das?

ROMPEL!
Argh!
BROMM!
Uaaah!
Schnell, Goofy!
GURGEL!
Was kommt denn jetzt noch?

FWOSCH!
Uaaah! Kreisch!
O nein!
Jetzt sind wir endgültig verratzt!
Noch nicht! Hilf mir, ich hab eine Idee!
Sag bloß, du willst das Zelt aufbauen?

Sag mal, warten die da unten womöglich auf uns?
Tja, sieht ganz so aus, mein Lieber! Wir sind wohl am Ziel!

Wir heißen diese Personen willkommen...
...in Futuropolis!
Ähm... nett, euch kennenzulernen!
Junge, Junge! Das ist ja irre!
Halt! Diese Personen müssen nicht zu Fuß gehen!
?
PFIIIET!

Diese Personen begeben sich bitte in die Schwebestühle!
Mit dem Steuerknüppel können diese Personen ihren Untersatz leicht und bequem steuern!
He, Micky! Ich kann fliegen!
Schau ma... **aaaah!**
PLOMM!
Utsch!

Nur Mut, Goofy! Im Grunde kann das jedes Kind!

Dann liegt's wohl daran, dass ich kein Kind mehr bin!

Der Droide bringt diese Personen in ihr Quartier!

Jetzt hab ich den Bogen raus, Micky!

Sagenhaft! Als hätten wir 1000 Jahre in nur einem Tag hinter uns gelassen!

Nett hier!
Hallo, Robokoch! Bitte ein paar Erfrischungen für diese Personen!
KLOPP!
Die heutige Spezialität ist...
PLING!
...Hühnchen mit frischem Gemüse!
Wünschen diese Personen Musik?
?!

Ob klassisch oder modern, ein Musikdroide kann diesen Personen alles bieten, was sie wünschen!

Ist dir aufgefallen, dass es hier kein einziges Lebewesen gibt?

Die sind vor langer Zeit verschwunden! Sie kommen nie mehr wieder!

Sieh mal, Micky! Hier gibt's sogar einen Zeichentrickkanal! **Super!**
Hmm! Hier scheint es fast alles zu geben...

Kann dieser Droide noch etwas für diese Personen tun?
Danke! Ich brauche jetzt erst mal eine kleine Pause!
Wie bitte?

Man könnte sagen, wir müssen unsere Akkus aufladen!
Gut! Dieser Droide empfiehlt sich!

So was! Wie kann man an so einem fantastischen Ort müde sein?

Dein fantastischer Ort ist mir einfach etwas zu perfekt!

Ich weiß zwar nicht was, aber ich bin sicher, dass hier etwas oberfaul ist!

Wir sollten uns mal umschauen, aber ohne diesen blechernen Butler!
Zu Fuß! Dann fallen wir weniger auf!
Hmpf!

Gut, die Luft ist rein!

Hier ist alles blitzblank, nur dieses Gebäude nicht!
Dann schau doch einfach nicht hin!

Wir haben Urlaub, also entspann dich endlich mal!
Tu ich ja! Los, komm mit!
Oha! Sieht aus wie ein Roboterfriedhof!
Was wohl passiert, wenn ich auf diesen Knopf drücke?
Huach!
WIRR!

KLACK!

Vielen Dank! Ich bin ein Modell der 9000-er Serie und heiße Kodro. Vor 200 Jahren...

...war ich ein Kommunikationsdroide, bis plötzlich die neuen Roboter kamen und uns ältere Modelle einfach abschalteten!

Kannst du uns sagen, wieso es hier keine Lebewesen gibt?
Nein, denn zu meiner Zeit gab es hier überall welche!

Gefahr! Gefahr!
Diese Personen müssen hier weg!
Ein Meteoritenschwarm rast unaufhaltsam auf diesen Planeten zu!
Eine Rakete wird diese Personen evakuieren! Bitte rasch zur Abschussrampe!

O nein! Die Erde ist verloren!

Genau wie diese elende Antiquität!

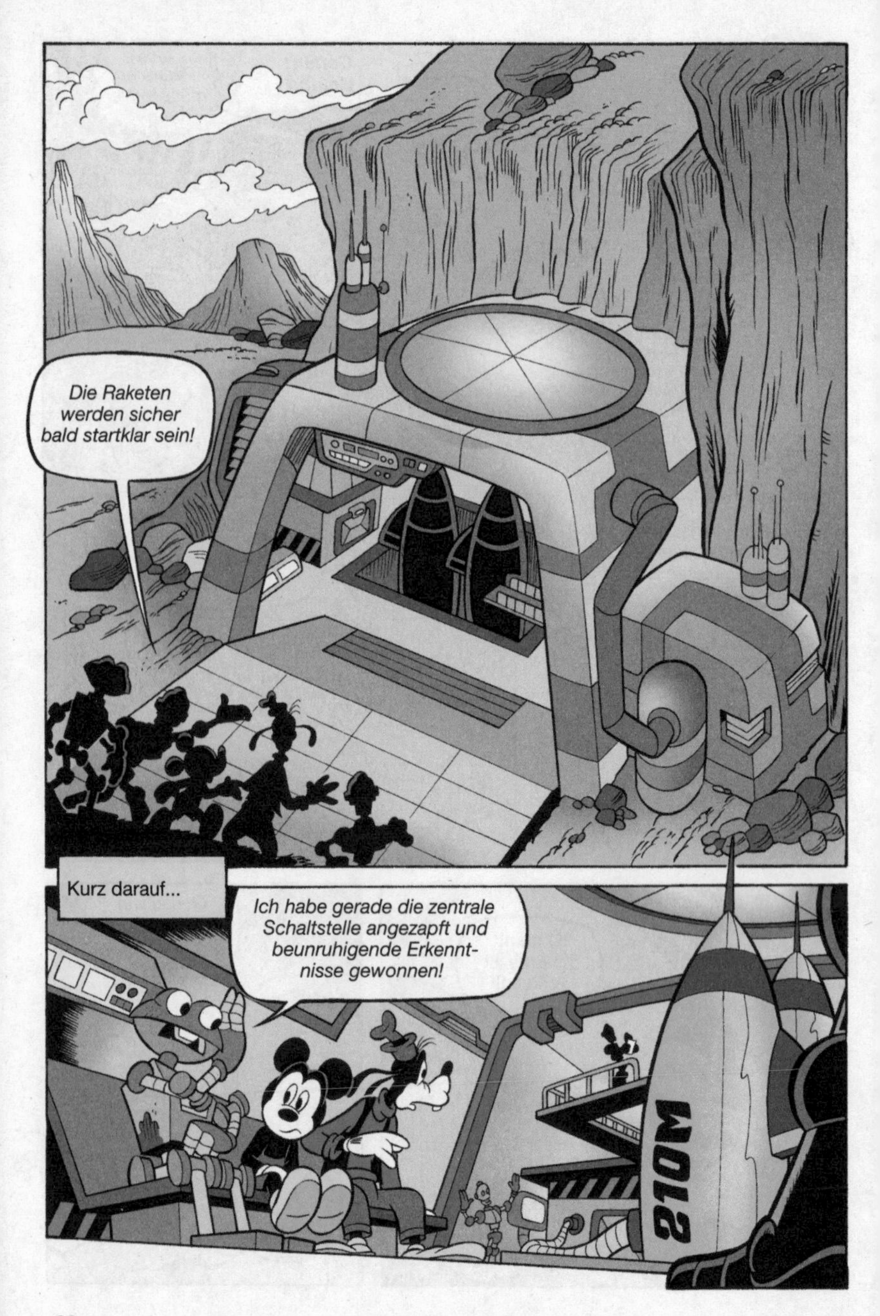
Die Raketen werden sicher bald startklar sein!
Kurz darauf...
Ich habe gerade die zentrale Schaltstelle angezapft und beunruhigende Erkenntnisse gewonnen!
210M

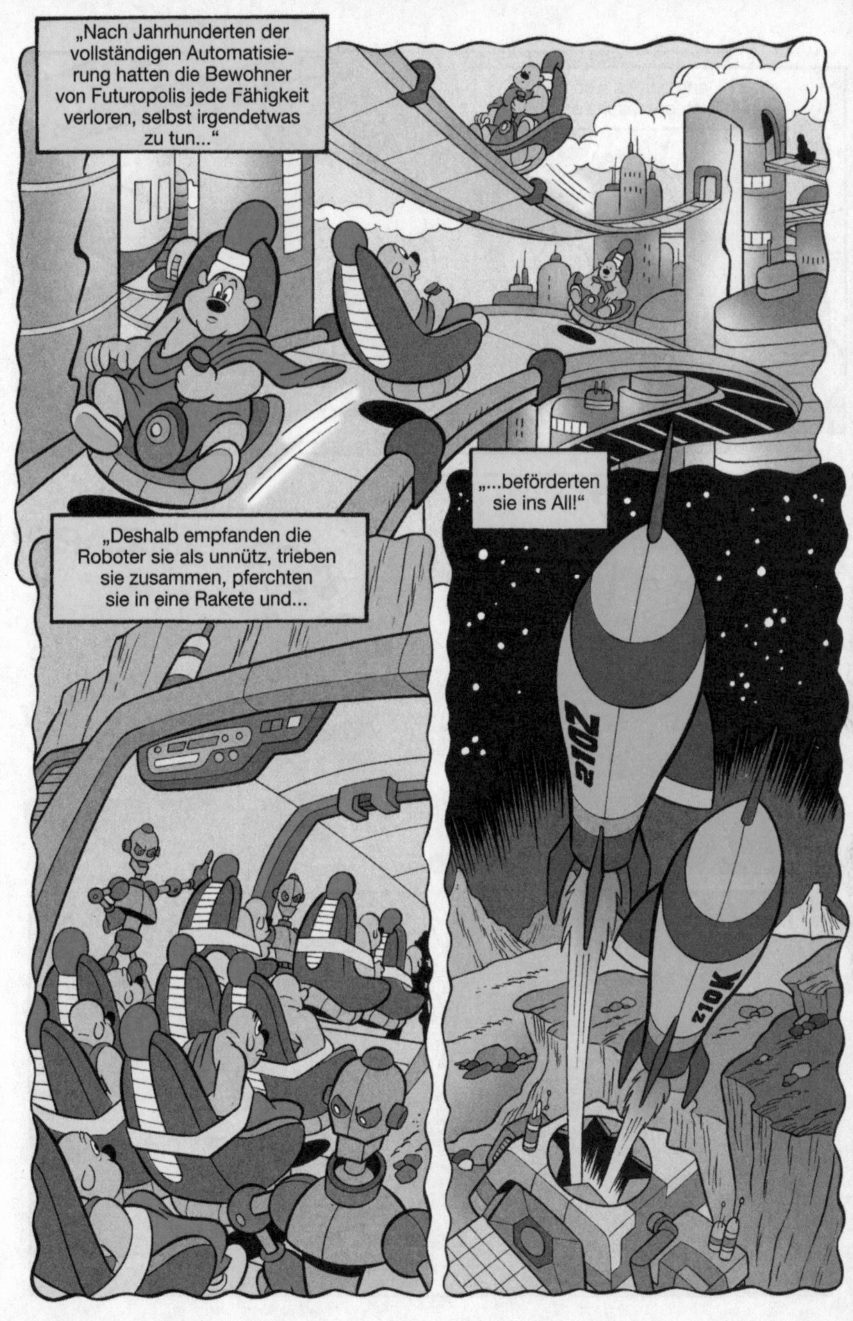
„Nach Jahrhunderten der vollständigen Automatisierung hatten die Bewohner von Futuropolis jede Fähigkeit verloren, selbst irgendetwas zu tun..."
„Deshalb empfanden die Roboter sie als unnütz, trieben sie zusammen, pferchten sie in eine Rakete und...
„...beförderten sie ins All!"
210Z
210K

Was? Dann gibt es also gar keinen Meteoritenschwarm?
Richtig! Das Ganze ist nur ein mieser Trick!
Gut, dann nichts wie raus hier!

Achtung! Diese Personen und der alte Droide versuchen zu entkommen!
ZAPP!
ZOSCH!

Mein Angstchip glüht schon!
M-meiner auch!
ZROSCH!

Los, in Deckung!
Eine sehr gute Idee!
ZROSCH!

Verflixt!
Wir sitzen wie Ratten in der Falle!

Wir müssen zurück in die Stadt, sonst sind wir geliefert!

Aber dort werden sie uns doch sofort schnappen!

Wir sollten auf Kodro hören! Schließlich kennt er sich hier aus!

Hier draußen habt ihr keine Chance gegen diese rabiate Roboterbande!
ZROSCH!
Dann werden wir wohl in den sauren Apfel beißen müssen!

Versuchen wir unser Glück!
Hinter dem Felsen gefiel's mir besser!
ZROSCH!

Keuch! Warte, Micky! Ich kann nicht mehr!
He! Wo bleibt denn Kodro?

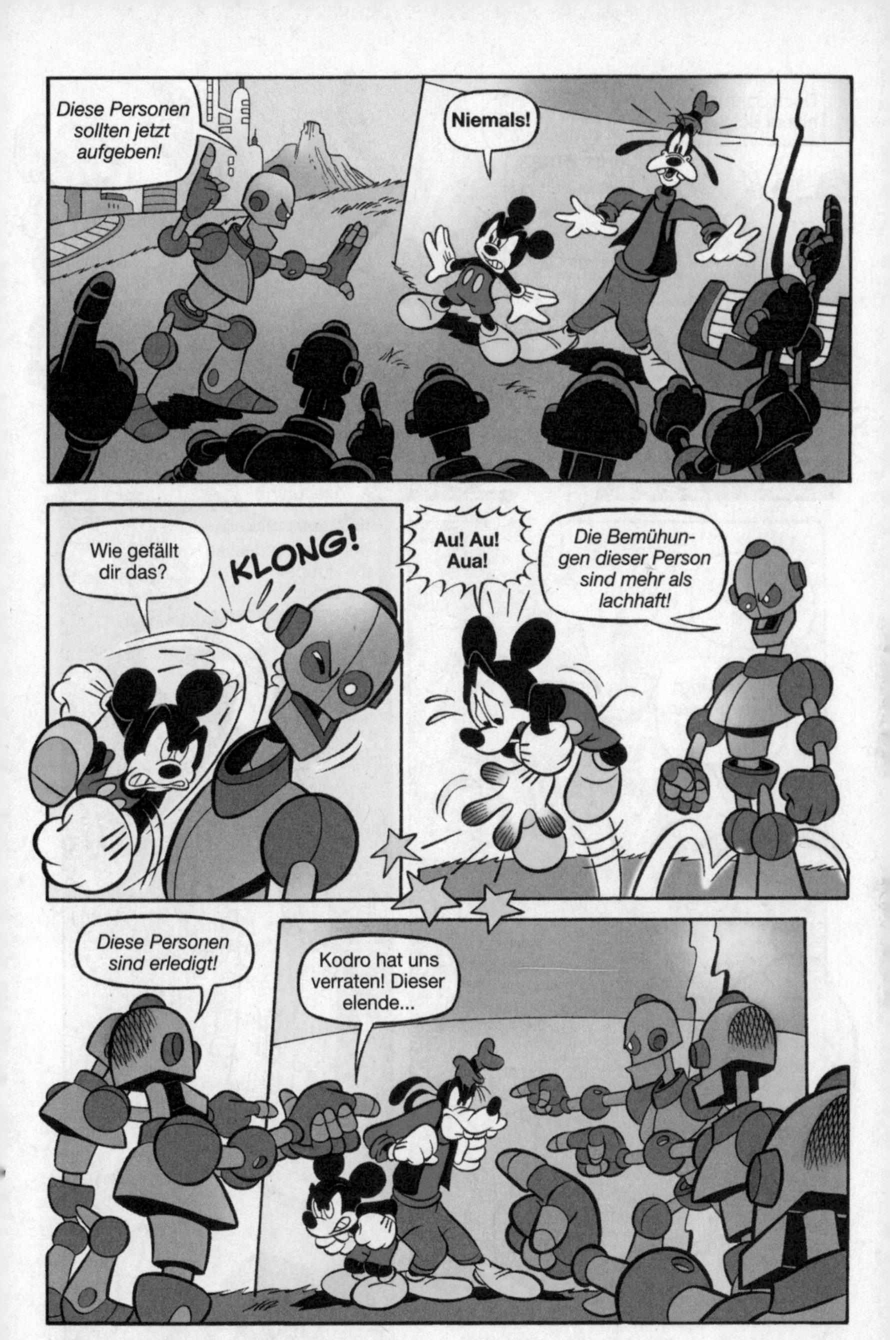
Diese Personen sollten jetzt aufgeben!
Niemals!
Wie gefällt dir das?
KLONG!
Au! Au! Aua!
Die Bemühungen dieser Person sind mehr als lachhaft!
Diese Personen sind erledigt!
Kodro hat uns verraten! Dieser elende...

Doch dann, mit einem Schlag...
Wieso feuern sie nicht?
Wo wollen die hin?
Was hat das zu bedeuten?
Ein zentraler Befehl...
...verlangt unbedingten Gehorsam!
Und dann verlassen die Roboter die Erde...
210 M
210 V
WUOSCH!
WUSCH!

Verzeiht, aber ich musste euch als Köder benutzen!

Nur so konnte ich mir unbemerkt Zugang zur Schaltzentrale verschaffen!

Du hast also die Kontrolle über...
...die Roboter übernommen, ja!

Bei alten Modellen wie mir bleiben die neuen Signale natürlich völlig wirkungslos!

Leider habe ich versehentlich den Selbstzerstörungsmechanismus der Stadt aktiviert! Daher sollten wir schleunigst von hier verschwinden!

Viel später...
Ah! Der Anblick von Hütten ganz ohne technischen Schnick-schnack ist Labsal für meine Seele!
Darauf heben wir einen!
TAVERNE
Was darf's sein?
Zwei Glas Limonade...
...und einen Liter feinstes Motoröl...
...für unseren metallischen Freund hier! **Haha!**
ENDE

Stefano Bollani und Stefano Petruccelli (Story), **Paolo Mottura** (Zeichnungen)

Klever will dich als Veranstalter im Kulturbereich überflügeln, und das mit allen Mitteln!
Das Übliche. Aber diesmal übertreibt er es eindeutig!

WIEDER SABOTAGE IM DUCK-THEATER!
Kein Theaterstück, kein Konzert, bei dem mir dieser Halunke nicht dazwischenfunkt!

So wie mit dem Stromausfall letzte Woche?
Stromausfälle, kollabierende Kulissen, was immer dir dazu einfällt!

Alles sein Werk! Und für das Konzert gestern Abend hat er sogar eine ganz besondere Gemeinheit ausgebrütet...

„Eine Bande bezahlter Rüpel, die das Publikum gegen die Musiker aufstacheln sollte!"
Buuuh!
Bah!
Geht heim und übt!
„Das Konzert war eine Katastrophe – auf meine Kosten!"

Tja, noch so ein paar Fehlschläge und das Publikum hat dich gefress... **oh?**

Hast du dich an die Polizei gewandt, Onkel Dagobert?
Ja, aber die verlangen Beweise für das Offensichtliche.

Und die werde ich auch liefern! Künftig lasse ich meine Konzerte doppelt und dreifach überwachen!

Falls es künftige Konzerte gibt. Momentan mangelt es mir doch an zugkräftigen Künstlern.

Kopf hoch, Onkel Dagobert! Ich hab die Lösung für dein Problem!
Du sollst mich zwar aufheitern, aber musst du mich gleich zum Lachen bringen?
T

Im Ernst! Wenn du einen großen Namen suchst, brauchst du nur mich zu fragen!
Hrm.

Gut, ich frage. Aber wenn mir deine Antwort nicht gefällt, garantiere ich für nichts!

Sie wird dir gefallen. Schon mal was von Oswald Peterton gehört?
Dem berühmten Jazzpianisten mit seinen gefeierten Ausflügen ins klassische Fach? Natürlich. Und?

Na, ich kenne den Meister persönlich.

Nach einem Konzert hab ich mir ein Autogramm von ihm besorgt.

Netter Kerl! Wir waren sofort die dicksten Freunde!
Menschenkenntnis ist nicht jedermanns Sache.

„Na ja, gut. Ich will dir ausnahmsweise vertrauen, Neffe. Doch nur, weil ich muss.“
Ein Vorspiel im Geldspeicher für beide Künstler! Das ist der Beginn meiner Karriere als Impresario!
HOCHMUT KOMMT VOR DEM FALL!
DANACH NICHTS MEHR!
Beide Künstler? Wer ist der zweite?

In dieser Saison ist Peterton gemeinsam mit Carolo Confuso auf Tournee!
Confuso? Ist das nicht dieser zerstreute Tenor?

Richtig! Seine Konzerte sind immer für eine Überraschung gut!

„Ganz egal, welches bekannte Lied er auch anstimmt...“
Mein Ruh' ist hin, mein Herz ist schwer...

„...irgendwann reißt bei ihm der Faden, er vergisst...
...ei, zefix...

„... den Text und fängt an, freihändig zu improvisieren!“
...ich find die Zahnbürst nimmermehr!

Ob Onkel Dagobert davon so begeistert sein wird?
Bereuen wird er's nicht. Ich bringe ihm zwei hochkarätige Künstler!
Ich weiß nicht, ob es klug war, Donald zu vertrauen. Der Junge neigt arg zu Katastrophen.
Aber habe ich eine Wahl? Und außerdem... zwei Künstler zum Preis von einem!

Wobei ich diesen Confuso nicht kenne. Wer das wohl ist?

Liebe Zuschauer, auch heute hat der Auftritt von Carolo Confuso das Publikum wieder in Begeisterung vereint und...
KULTUR
Na, was hab ich gesagt, Jungs?
„...die Kritik geteilt!“
AUSGANG
Der Tenor der Postmoderne, der das alte Liedgut auf den Schwingen seiner Fantasie zu neuen Ufern trägt!
Ein präseniler pompöser Pimpf, der sich keine zwei Zeilen Text merken kann!
„Und das Konzert beschloss wie immer der gereimte gute Rat des Vortragenden...“
Hört auf euren Lieblingstenor und holt auf der Stell eure Schirme hervoooor!
„Fast könnte man meinen, er hätte die Gabe, in die Zukunft zu schauen...“
RUMPEL!
Gute Güte! Ein Wolkenbruch!
Woher hat er das nur gewusst?

Man darf gespannt sein, was er bei seinem nächsten Auftritt vorhersagt...
Hmm.
KLICK!

Ein vergesslicher Tenor mit der seltenen Gabe der Hellsichtigkeit? Das verspricht, unterhaltsam zu werden.

Und daher, bereits am nächsten Tag...
Waaas? Du willst Peterton auf diesem Schrotthaufen spielen lassen?

Dieses Piano hat schon Nelly, den Stern des Nordens, bei ihren legendären Auftritten begleitet.
Glb!
DWOINK!

Da wird es auch für deine Freunde gut genug sein! Worauf wartest du? Führ sie herein!

Dem einen ist es wohl gegeben...

...zu Reichtum zu kommen durch sparsames Leben.

Hehehe!
Da singt er was!

Ich hingegen, mit Künstlerschaft...

...schaffe Gold durch Stimmeskraft...

...durch Stihiiiimmeskraaaaaaaaaft!
KRICKS!
Heiliger Strohsack!

Bravo! Fantastisch! Welch ein Genuss!
KLAPP! KLAPP!

Was sagen Sie dazu, Herr Duck?
Sind sie nicht großartig? Extraklasse!

Ähem... zu viel des Lobes, Donald.
Gar nicht! Wer diesem... Möbel solche Töne entlockt, ist ein Magier!

Schweig, Neffe! Und Sie beide hören zu...

Ich gestehe, Ihr Auftritt hat mich überzeugt. Ich engagiere Sie für eine Konzertreihe!
Hurra!

Man bewegt die Einzelheiten des Vertrages...
Ich verlange vollen Einsatz auf der Bühne und Zurückhaltung beim Honorar.

Eine Forderung, die mir aus Erfahrung nicht fremd ist.
Aha, fein. Und was sagen Sie dazu, Signor Confuso?

Das Feuer flammt, im Kessel siiiiiedet's...
Uack!

Soll ich aus seinen Worten schließen, dass er sauer ist? Eine Honorarfrage, im Zweifelsfall?
Aber nein.

Er ist sogar sehr zufrieden. Er will sagen, er fühlt, dass Sie für die Kunst entflammt sind!

Und darüber hinaus meint er damit... **bla, bla... und bla, bla, bla...**
So was.

Confuso singt offenbar auch im echten Leben. Und Peterton macht für ihn den Übersetzer. Diese Künstler!

Und? Was sagst du?
Na ja, eigentlich spiele ich lieber vor kleinem Publikum. Aber die großen Bühnen deines Onkels bieten natürlich Raum für neue Erfahrungen.

Einige Tage später...
Ich kann kaum erwarten, dass sich der Vorhang hebt!
Hehe!

Der Laden ist rappelvoll!
Alles da, was in Entenhausen Rang und Namen hat!

Endlich...
Meine Güte, so viele Hüte in der Hütte-heee!

Nach der launigen Begrüßung folgt klassisches Liedgut...
Meine Damen, aus dem Rahmen fällt... wer's mit der Kunst anstell' der Mode hält!

PLINK!
PLANK!

Ihr Blümlein alle, die sie mir gab, euch soll man legen mit mir ins Grab!

Bravourös ziehen die Künstler das Publikum in ihren Bann...
Bravo!
KLATSCH!
Das Konzert war ein voller Erfolg!
Wie nicht anders zu erwarten.
Da plötzlich...
O Flammenkraft, sie dräut so heiß...
Nanu? Noch eine Zugabe?
...aus lichter Höh', ich steh im Schweiß!
Schnell! Alles zum Ausgang!
Hinfort, sonst seid ihr kalt wie Eis!

Signor Confuso warnt uns vor einem drohenden Unheil!

Denn wenn ich seine Worte von der „lichten Höh'" richtig zu deuten weiß...

...dann kommt heute nichts Gutes von oben!
KARACKS!
Aaah!

Schwere Scheinwerfer! Einfach so von der Decke gescheppert!
Mensch, wenn da noch wer gesessen hätte...

Aber wie ist das möglich?
Wenn Confuso es nicht vorhergesehen hätte... **schauder!**

Das hätte ein Unglück gegeben!
Aber wie macht er das?

Offenbar ist er ein echter Magier, nicht nur, was die Musik angeht!
PRESSE

In der Folgezeit häufen sich die magischen Momente...
CONFUSO ENTLARVT BETRÜGER AUF OFFENER BÜHNE!
JAZZ & OPER
CONFUSO SAGT U-BAHN-DEFEKT VORAUS!
Hehe!
NEUE OPER
PETER-TON

Zufrieden, Onkel Donald?
Das bin ich, Jungs, weil Onkel Dagobert es ist.

Dieses Mal findet der alte Grantler garantiert nichts zu meckern!

Doch am nächsten Tag...
So geht es nicht weiter! Klevers Sabotageakte sind ein ständiger Stachel in meinem Fleisch!

Seit dem Vorfall mit diesem Scheinwerfer finde ich vor Konzerten aus lauter Sorge keinen Schlaf mehr!
Zum Glück hat Confuso alles vorhergesehen. Er ist unbezahlbar!

Und unverzichtbar! Und doch, wir leben in Zeiten der Krise, da heißt es, den Gürtel enger schnallen. Daher habe ich beschlossen...

...Peterton zu entlassen. Du wirst ihm die Nachricht überbringen.
Waaas?

Das kannst du nicht von mir verlangen! Ich weigere mich!
Bei deinen Schulden? Lachhaft! Das Problem muss heute noch vom Tisch.
Jedes gesparte Honorar zählt!

Die Kunst lässt den alten Knauser kalt. Dem geht's nur um Kohle!
Was regst du dich auf? Du kennst ihn doch lange genug!

Tja. Aber wer kommt guten Freunden schon gern mit schlechten Nachrichten.

Dann...
Mach dir nichts draus, Donald. Ich hab seit Tagen damit gerechnet.
Bist du jetzt auch hellsichtig?

Nein, aber du weißt doch selbst, wie dein Onkel gebaut ist. Der kann nicht anders.

Ich nehm's ihm nicht übel. Auf seinem Gebiet ist er ein Künstler.
Trotzdem ist es nicht gerecht! Was fängst du nun an?

Das, was mir schon immer am meisten Spaß gemacht hat. Man hört sich!

Hrmpf! Offenbar kriegt jeder, was er will. Nur ich krieg meine Wut!

Warte erst mal ab, was Confuso sagt, wenn er plötzlich ohne Pianist dasteht!

Einige Tage später...
Wie man hört, soll dieser Abend etwas ganz Besonderes werden!
Ein Konzert, reduziert auf das Wesentliche, erzählt man!
Still! Der Tenor betritt die Bühne!

Wo ist mein Pianist? Ohne Begleitung singe ich nicht!

Was will der Mann damit sagen, Neffe?
Das versteht sich ja wohl auch ohne Untertitel! Ich hab dich gewarnt.

Was ist nun mit dem Konzert?
Fängt das irgendwann an?
Petertons Handy ist ausgeschaltet! Geh und schaff ihn her! Ich versuche derweil, das Publikum bei Laune zu halten!

Fast tut er mir leid! In seiner Haut möchte ich jetzt nicht stecken!

Ich kann nur hoffen, dass ich mit meiner Vermutung richtig liege!
PENSION

Und während man sein Möglichstes gibt, rast die Zeit...
Und das Publikum auch, fürchte ich. Armer Onkel Dagobert!
PP
PP
313

Inzwischen...
Ähem... wie gesagt, es handelt sich um einen Scherz... bla, bla... Peterton wird in Kürze hier sein und... bla...

Glbs... dieses Zwischenspiel soll auf die heitere Seite der Kunst hinweisen... äh...

Ich weiß nicht mehr weiter. Zum ersten Mal in meinem langen Leben fehlen mir die Worte!

Da, plötzlich...
O Glück! O hehre Herzensfreud! Er ist's, der Tastenzaub'rer, Ihr Leuuuuut!

Juhuuu! Seht doch! Da ist ja Oswald Peterton!
Hurra!
AUSGANG
Endlich!
Das nenne ich Glück! Hehe!
In der Folge gerät das Konzert zum rauschenden Triumph...
Bravo!
KLATSCH!
Zugabe!
KLATSCH!
KLATSCH

Bevor wir gehn, müsst ihr verstehn, ich will des langen Rätsels kurzen Sinn verkünden!

Als Zugabe gedenkt Signor Confuso eine Frage zu beantworten, die wir uns alle seit Wochen stellen!

Das Wort hat also der Meister!

Es sinnt ein jeder, grübelt, sucht, wer wohl der Schuft, dreimal verflucht...

...der sabotiert die ducksche Kunst bis nah an eine Feuersbrunst!

Die Antwort ist wie Blumen pflücken, wie warme Sonne auf dem Rücken, wie eine Wiese in sanfter Priese!

Ähem... der Maestro will damit sagen: „Die Antwort ist kinderleicht!“ Ich werde nun versuchen, simultan zu übersetzen...

Wer Nüsse sucht, blickt nicht nach oben – weit einfacher sind sie aufgehoben!
„Es ist sinnlos zu fragen, wer der Verursacher der Sabotageakte sein könnte...“

Es gibt kein Hin, es gibt kein Her, der Übeltäter ist schlicht...

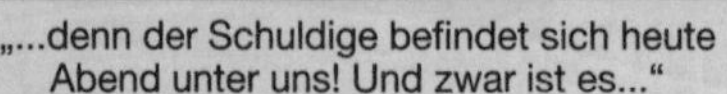
„...denn der Schuldige befindet sich heute Abend unter uns! Und zwar ist es...“

Glb.
...er!
„...er! Äh... na ja, das war einfach.“

Was? Herr Duck hat seine eigenen Konzerte sabotiert?
Dazu fällt einem nichts mehr ein.

Doch war es nicht des Meisters Wille, eher dies Tierchen in aller Stille...
„Doch steckt dahinter keine Absicht. Die kollabierenden Kulissen, die stürzenden Scheinwerfer wurden ausgelöst..."

...das mit nagender Kraft die Katastrophe fast geschafft!
„...durch Wanderratten, welche die Halterungen angeknabbert haben! Der werte Herr Duck zeigt sich eben auch bei der Wartung seiner Gebäude wenig ausgabefreudig."

Und Licht war nicht, weil man um Gulden ficht!
„Will heißen, der Stromausfall im Theater war eine Maßnahme der Stadtwerke, weil der Hausherr seine Stromrechnungen nicht bezahlt hat."

Zu guter Letzt, wurd ganz zu Recht der Musikus gehetzt!
„Was bedeutet, dass niemand das Publikum bei jenem denkwürdigen Konzert aufgewiegelt hat. Die Musiker waren einfach grottenschlecht... und dazu auch noch miserabel bezahlt."

Unglaublich!
Wie kann er das alles wissen?

Bitte, Maestro! Verraten Sie uns Ihr Geheimnis!
Oder Sie, Herr Peterton!

Kein Geheimnis! Er zieht einfach die richtigen Schluss-folgerungen!

Aber ich glaube, der Künstler hat uns noch etwas kundzutun!
Was war, geschieht oft noch einmal, Sie räumen besser schnell den Saaaal!
Soll das heißen...

KNARZ!
Ja! Die Nager können das Naschen nicht lassen!

WROMM!

Langsam finde ich Geschmack an dem Gerenne!
Etwas völlig Neues! Die interaktive Oper!

Ich werde auch künftig kein Konzert der beiden versäumen!
Ja, aber ganz befriedigt mich die Erklärung nicht!

Ich glaube, außer Confusos Kombinationsgabe ist da noch etwas. Nur was?
Oh, das kann ich Ihnen sagen!

Wirklich?
Was ist es denn?

Haben Sie bemerkt, dass Confuso ganz normal gesprochen hat, als er alleine auf der Bühne war?

Aber sobald ihn ein Piano begleitet, erwacht seine Gabe! Er durchschaut die komplexesten Zusammenhänge und reicht die Lösung in Reimform dar!
Es ist die magische Macht der Musik! Ein großes Geheimnis, das jeder von uns sehr wohl kennt.
So ist es!
„Confuso hat schon von klein auf bewiesen, dass er über einen brillanten Verstand verfügt..."
Sieh dir die Aufgabe genau an, Carolo! Kannst du sie lösen?
„Und von jeher hat sich sein Genie in gesungener Form offenbart..."
Ja, ich glaube zu verstehn! Die Lösung lautet: hundertzehn!
Glänzend, mein Kleiner! Das macht dir so schnell keiner nach!

„Und seine Fähigkeit, blitzschnell eins und eins zusammenzählen zu können, wuchs immer weiter..."
Noch spürt ihr's nicht, doch jetzt ist klar, wie nötig eine Mahlzeit war!
Stimmt! Ich hab Hunger!
RUMPEL!
KNURR!
GRUMMEL!
„...bis er sich die meisten Ereignisse ausrechnen konnte, lange bevor sie eintraten!"
Lalalalaaaa!
So wurde der gute Rat in Reimform am Ende der Konzerte zu seinem Markenzeichen!

Was für eine Geschichte! Ja, die Musik bringt das Beste in den Menschen hervor!

Und jeder kann ein Instrument erlernen, wenn man erst mal das richtige für sich gefunden hat. Ich kann mir nichts vorstellen, was mehr Freude macht!

Ganz genau!
Hoch lebe die Musik!
HOTEL
AXEL
Und hoch leben Peterton und Maestro Confuso!
TAXI

Tage später...

Da hast du ausnahmsweise mal was Vernünftiges auf die Füße gestellt, Neffe!
Dein Lob wärmt mich, liebster Onkel.
DD

Und du hast auch ein kleines Geheimnis, nicht wahr?
Ich bin mir nicht sicher, worauf du hinauswillst.

Nun, als du Peterton holen solltest, war sein Handy abgestellt. Trotzdem warst du im Handumdrehen wieder zurück!

Ich frage mich bis heute, wie du das geschafft hast.
Oh, das ist nicht schwer zu erklären.

„Ich bin einfach dem ersten Gedanken gefolgt, der mir kam..."
BAR
Ich kann nur hoffen, dass ich mit meiner Vermutung richtig liege!

„Weißt du, ich hab mich erinnert, wie sich Peterton beim letzten Mal verabschiedet hat…“
…was mir schon immer am meisten Spaß gemacht hat. Man hört sich!
Und ich wusste, dass er am meisten Spaß daran hat, vor kleinem Publikum aufzutreten.
Also bin ich direkt zu dem Jazz-Schuppen gefahren, in dem ich ihn vor einigen Jahren kennengelernt habe!
Tut mir leid, wenn ich störe! Ein Fall von höherer Gewalt!
SUMMER TIME
„Und da war er wirklich!“

Auch du hast deine hellen Momente! Leider hält das Licht nie lange vor.
Reizend. Danke.

Ich nehm's als Kompliment und verschwinde lieber, bevor mir noch etwas dazu einfällt.

Er tut sich eben schwer mit Anerkennung.

Aber er ist zufrieden mit dir. Und zu Recht! Du warst klasse!
HIER IST ENDE!
GLAUBEN SIE NICHT?
PECH!

Sogar ganz große Klasse, Donald!
Unsinn. Das verdanken wir alles dir und Confuso!

Nein, die Geschichte hätte kein so gutes Ende gefunden ohne deinen selbstlosen Einsatz!

Ohne zu fragen, was für dich dabei rausspringt.
Ein wahrer Freund! Aber das hab ich schon immer gewusst.
Freundschaft ist wie Musik. Sie trägt ihren Lohn in sich selbst.
1911
ENDE

Fausto Vitaliano (Story), **Marco Palazzi** (Zeichnungen)

Seinerzeit ist mir aufgegangen, dass ich wohl ein Näschen für Geschäfte habe!
Der Rüssel des Reichtums. Hihi.

Wer Schulden hat, sollte besser keine schlechten Sprüche klopfen.
Bitte, Onkel Dagobert, erzähl uns doch die Geschichte!

Nun, in jenen Tagen hatte ich meine Meinung geändert, dass man es nur durch harte Arbeit zum Multimillionär bringt.

Und so änderten sich auch meine Geschäfte.
Was hast du denn diesmal in Angriff genommen?

„Ich habe begonnen, Geld mit Geld zu verdienen..."
T

Kaufen Sie Dollars! Verkaufen Sie Franken! Stopfen Sie das Depot mit Lire voll! Specken Sie dafür beim Pfund ab!
DD GELD & GELDESWERT

„Eine schweißtreibende Angelegenheit..."
Schnauf! Stöhn! Ich bin fix und fertig!
Kein Wunder, wenn Sie zwölf Stunden lang pausenlos am Hörer hängen.

Dafür habe ich zwölftausend Taler eingenommen.
Und zwölftausendundeinen Taler Unkosten gehabt.
MEIN VERMÖGEN

Das gehört dazu, wenn man Geld mit Geld macht. Davon verstehen Sie eben nichts, Ackerbub.
MEIN VERMÖGEN
Aber ganz im Gegenteil, Herr Duck, darin bin ich Experte. Falls Sie einen Rat wollen...

Danke, Ackerbub. Aber ich habe Sie nicht eingestellt, damit Sie mir mit Rat zur Seite stehen...
...sondern mit Tat. Ich bin ja schon am Fegen.

In meinem Metier kommt es darauf an, dass man ein Näschen für gute Geschäfte hat.
Wenn Sie es sagen, Herr Duck.

Aber wenn Sie weiter mehr ausgeben als einnehmen, wird Ihr Vermögen schwerlich in die gewünschte Richtung wachsen.
Keine Bange. Ich komme schon noch auf den richtigen Dreh.

Ich könnte beispielsweise Franken in Francs tauschen und auf dem Umweg über Öre dann Kronen anschaffen, zur Krönung eines erfolgreichen Tages!
Mit Verlaub, das halte ich nicht für eine gute Idee.

Hier, sehen Sie! Das wäre ein klassisches Nullsummenspiel, wie wir es auf der Universität unzählige Male durchgerechnet haben.
Mit Ihrer Hartnäckigkeit werden Sie es weit bringen. Aber nicht bei mir.

Ich versuche doch nur, Ihnen zum Besten zu raten, Herr Duck!
Und ich lehne ein weiteres Mal dankend ab!

Ich weiß auch so genau, was ich zu tun habe, Ackerbub.
Natürlich, Herr Duck. Wie Sie meinen, Herr Duck.

Die Jugend von heute denkt, sie weiß mehr, als die Jugend von, ähm... gestern.
GEMÜSE

Aber das Finanzwesen war zu allen Zeiten ein bewegtes. Es galt schon immer, sich auf dem Laufenden zu halten.
Tag, Herr Duck. Das Übliche, nehme ich an?

Genau. Eine gewöhnliche Rübe, bitte!
Eingewickelt in die Zeitung von gestern?
Wirtschaftsteil genügt.

Warum kaufen Sie nicht einfach eine Zeitung, wenn es das ist, worum es Ihnen geht?
Eine Rübe kostet genau so viel wie eine Zeitung.
RÜBE 10 K

Aber haben Sie schon einmal versucht, letztere nach dem Lesen zu verspeisen?
Dass die Nachrichten alt sind, stört Sie nicht?

Es gibt keine alten oder neuen Nachrichten. Nur nützliche und weniger nützliche.

Und ein Geschäftsmann, der etwas auf sich hält, weiß das eine vom anderen wohl zu unterscheiden.
Mal sehen, ob heute etwas Weizen zwischen all der Spreu gedeiht.
Tatsächlich! So etwas habe ich gesucht!
Die Eismark! Wenn das keine große Chance ist, hat mein Näschen noch nie eine erschnuppert!
WIRTSCHAFT
DIE EISMARK
Ich fühle mich bereits vom Duft meiner achten Million umweht!

Höre ich recht? Haben Sie Eismark gesagt?
Genau das habe ich, Ackerbub!
DD GELD &
123

Eine Währung, die am Nordpol gilt und ungemein wertbeständig ist, wie man liest.
Eine arktische Währung? Na, ich weiß nicht...

Der Eismark gehört die Zukunft, glauben Sie mir!
Äh... was haben Sie vor, Herr Duck?

Verhindern, dass mir jemand das Geschäft vor der Nase wegschnappt! Daher breche ich noch heute zum Nordpol auf!

Ich gedenke, vor Ort günstig Eismark zu erstehen, um sie hier mit einem satten Gewinn wieder loszuschlagen!

Tun Sie das nicht, Herr Duck! Das gibt ein Desaster!
Wollen wir wetten, Ackerbub? Wenn das Geschäft ein Erfolg wird, woran ich nicht die Spur eines Zweifels zu hegen bereit bin...

...dann arbeiten Sie noch ein Jahr für mich als Laufbursche. Und zwar umsonst!
Aha. Und wenn es schiefgeht?

Dann ernenne ich Sie zu meinem Berater und folge Ihren Ratschlägen ohne Wenn und Aber! Nun?
Hmm. Habe ich Ihr Ehrenwort, Herr Duck?

Ein Dagobert Duck steht stets zu seinem Wort!
Also gut! Ich lasse mich auf die Wette ein!

Und ich weiß auch schon, zu welcher Art von Geschäft ich Ihnen raten werde!

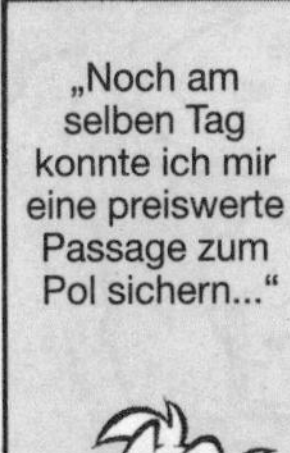
„Noch am selben Tag konnte ich mir eine preiswerte Passage zum Pol sichern...“

Wir haben eine lange Reise vor uns, Herr Duck!
Das schreckt mich nicht, Käpt'n! Für ein gutes Geschäft ist mir kein Weg zu weit!
EISVOGEL

Und am Pol ist es eisig kalt!
Wenn schon! Seinerzeit am Klondike haben wir auch keinen Hitzschlag riskiert!

Mein Vorhaben wird in die Annalen des Finanzwesens eingehen.

Und der gute Ackerbub wird Gelegenheit haben, seine Ausbildung bei mir fortzusetzen.

Ein weiteres Jahr Schrubben, und er kann eine eigene Firma als Gebäudereiniger eröffnen.

Sehr viel später...
Wir sind am Ziel, Herr Duck!
Sehr gut! Und was die Rückfahrt betrifft, sind wir uns einig, Käpt'n?
NORDPOL
EISVOGEL

Ich werde Sie in einer Woche hier abholen, wie abgemacht!
EISVOGEL
Danke! Also bis dann!

Wie ich sehe, hat auch hier die Zivilisation Einzug gehalten.
ZUR BANK
BEHEIZTE GESCHÄFTSRÄUME

Ich gebe zu, ich habe mir das Ganze ein wenig schwieriger vorgestellt.
ARKTISCHE BANK

Aber offenbar kann man dieses Bankhaus im ewigen Eis wärmstens empfehlen.

Sind Sie auch sicher, dass Sie diese Transaktion durchführen wollen, asik* Herr Duck?
Aber ja! Absolut sicher, asik* Herr Direktor!
DIREKTOR
*lieber

Wissen Sie, das ist das erste Mal, dass jemand Taler in Eismark tauscht.
Oh, ich schätze es, bei Geschäften der Erste zu sein.

Da es sich um eine größere Summe handelt, wird der Vorgang etwa eine Woche dauern.
Das kommt mir durchaus gelegen.

Das Ganze wird ein gewisses Gewicht haben, da es die arktische Eismark nur in Münzen gibt.
Ich habe genügend Säcke dabei.

Sie wissen aber, dass die Eismark mit Kaneq gemacht ist, nicht wahr?
Aber natürlich. Kein Grund zur Besorgnis.

Ich hab keine Ahnung, was Kaneq ist, aber welche Probleme kann es mit Bargeld schon geben?
BANK
Nun ja...

Eis! Kaneq ist das Inuit-Wort für Eis?
Kaneq heißt Frost. Die Eismark wird aus Wasser und einer Nacht im Freien gemacht.

Mit jeder Seemeile in Richtung Süden schmilzt Ihr Vermögen mehr dahin.
Ich beginne zu begreifen, wieso der Vertrag mit der Bank einen Rücktausch ausschließt.

Hätte ich doch nur auf Ackerbub gehört. Der hat mich von Anfang an vor diesem arktischen Abenteuer gewarnt.
Wer ist Ackerbub?

Ein junger Fachmann, der die neuen Finanzmärkte besser versteht als ein alter Fuchs wie ich.
Tatsächlich? Ihr Berater?

Weniger. Bislang war er in meinem Einmannbetrieb lediglich der Laufbursche...

„...aber das ist er wohl die längste Zeit gewesen."
Mir ist ein Vermögen zwischen den Fingern zerronnen! Falls Ihnen nach Spott ist, bitte sehr.
Keineswegs, Herr Duck! Das würde ich mir nie im Leben erlauben.
Dafür habe ich viel zu großen Respekt vor Ihrem leidenschaftlichen Einsatz auf geschäftlichem Gebiet!
Ach wirklich?
Aber ja! Wer außer Ihnen käme auch nur auf den Gedanken, sein finanzielles Glück am Nordpol zu suchen?
Das Einzige, was ich davon habe, ist eine kapitale Erkältung! **Hatschi!**

Meine neunte Million ist fürs Erste verdunstet. Ich kann nur versuchen, die Verluste klein zu halten.
Haben Sie vor, etwas zu verkaufen?
Richtig geraten! **Haptschiii! Schnief!** Und ich weiß auch schon genau, was!

Und daran
ist nicht mehr
zu rütteln, Herr
Duck?
Haptschi!
Leider nicht,
Trainer!
Glauben Sie ja nicht, dass es
mir leichtfällt, meine Baseball-
Mannschaft zu verkaufen!
Wir gehören ab
morgen also dem
Sportunternehmer
Spielfelder?
So ist es! Bedauerlicherweise
habe ich in meiner momentanen
finanziellen Lage keine
andere Wahl!
Es liegt also nicht an
unseren Spielergebnissen?

Weil unser Werfer
des Öfteren am Ziel
vorbeischießt?
Durchaus
erklärlich.

Und dem Schlagmann bisweilen
der Durchblick fehlt?
Ja, das
ist, äh... nicht
zu übersehen.

Könnten Sie nicht noch warten? Irgendwann werden die Ergebnisse wieder besser!
Das halte ich für eine gewagte Prognose.
Äh... wie muss ich das verstehen, Herr Duck?
Sagen wir so... bei der Mannschaft kann man schon froh sein, wenn sie keiner wegen Vandalismus anzeigt!
„Mit meinen Aufträgen halte ich inzwischen zwei mittelständische Glasereibetriebe über Wasser!“
KLIRR!
Ja, geht's noch? Das ist die siebte Scheibe in drei Tagen!
Ups!
DD
Aber ich verspreche Ihnen, dass ich das Team zurückkaufe, wenn sich meine Lage bessert!
Hoffen wir's.
Kopf hoch, Trainer! Auch für mich ist das ein schwerer Tag. **Pruuust!**
Das glaube ich Ihnen, Herr Duck.

Sind Sie wirklich traurig, Herr Duck?
Unsinn, Ackerbub! Mir war selten so froh zumute!

Endlich muss ich diesen Haufen von Versagern nicht länger durchfüttern! Spielfelder tut mir leid... in bescheidenem Maße jedenfalls.
Und konnten Sie den Verlust wie erhofft auffangen?

Ja. Auch wenn es noch nicht für die neunte Million reicht. **Haptschi!**
Es fehlen aber nur noch sechzehn Taler.

Wobei ich Ihnen verraten könnte, wie Sie sechzehn **Millionen** Taler machen!
Was? Und wie?

Auf dem denkbar einfachsten Wege, Herr Duck!

Zuerst kaufen wir peruvesische Antengulden...
Antengulden?

...die tauschen wir im ganz großen Stil gegen morokunische Monetti...
Monetti?

...und wechseln einen Teil in lübysche Luras...
Äh... Luras?

...um am Schluss das gesamte Paket geschlossen in Äuros zu investieren.
Äuros? Oje.

Und wissen Sie, was dabei herauskommt?
Nein! Nun sagen Sie schon!

Ein Gewinn von hundertacht Prozent!
Hunderta... haaatschi!

Was denn? Wohin so eilig, Herr Duck?
Zur Bank!

Ich habe eine kleine Abhebung zu tätigen, Ackerbub!

Hier haben Sie mein gesamtes Vermögen! Machen Sie zwei daraus!
Ohaaa!

Haben Sie keine Sorge, wenn Sie dem jungen Mann eine solche Summe anvertrauen, Herr Duck?
Auf mein Näschen ist Verlass, obwohl es verschnupft ist.
AUSGANG

Er weiß genau, was er will. Und er wird es weit bringen, glauben Sie mir. Sehr weit.

Zu weit gar?
Ich kann nichts für Sie tun, Herr Duck. Ihr Laufbursche ist inzwischen längst über alle Berge.
Haptschi! Sie müssen ihn finden!
POLIZEI

Der Ganove hat mein ganzes Vermögen geraubt!
Von Raub kann aus juristischer Sicht keine Rede sein, bester Herr Duck!

Es gibt Zeugen dafür, dass Sie Ackerbub das Geld selbst ausgehändigt haben!
Aber...

Ich... **haptschi...** dachte doch, er würde es mehren! **Prööööt!**
Was er sicher tut. Auf eigene Rechnung.

Leider wird Ihr Vermögen kaum aufzuspüren sein. Geld hinterlässt keine Duftmarke.
Seufz!
KOMMISSAR

Hast du damals wirklich all deine Ersparnisse verloren?
Alles, was mir blieb, waren zehn Kreuzer und ein Erinnerungsstück an mein ehemaliges Baseball-Team.

Was für ein Erinnerungsstück?
Das Arbeitswerkzeug meines Schlagmannes.

Du hast also Konkurs anmelden müssen, sehe ich das richtig?
Natürlich nicht. Wäre auch das erste Mal.

So leicht lasse ich mir den Schneid nicht abkaufen!

„Ich habe ein neues Geschäftsfeld aufgetan."
Die übliche Rübe in der Zeitung von gestern, Herr Duck?
Nein, heute nur die Rübe, bitte!
BANANEN
RÜBE 10 K
ÄPFEL
ZUCCHINI

Wirklich? Sind Sie nicht mehr an den Vorgängen auf den internationalen Finanzmärkten interessiert?
Ich hab mich einem neuen Markt zugewandt.
Und nun werde ich die Früchte meiner Investition ernten.
Sie bieten diese Rübe tatsächlich zum ersten Mal an, guter Mann?
RÜBE ZUM ERSTEN MAL! 20 K
Gewiss, gnädige Frau! Ich habe noch nie zuvor mit Rüben gehandelt!
POST
Diese Rübe ist einzigartig und für zwanzig Kreuzer geradezu geschenkt!
Sie haben mich überzeugt! Ich kaufe!
Ein schöner Gewinn, der umgehend wieder investiert wird.
10

Ich hätte gerne noch zwei Ihrer ungemein bereichernden Rüben!
RÜBE 10 K
Sie erwarten jetzt aber keinen Mengenrabatt von mir?

Vielen Dank, und beehren Sie mich bald wieder!
Oh, dafür stehen die Aussichten gar nicht mal schlecht!

Sind das wirklich echte Rüben, mein Herr?
20 K
Mangels ihrer Ähnlichkeit mit Äpfeln spricht einiges dafür, oder?

Und auf diese Weise habe ich seinerzeit an einem einzigen Nachmittag sechzehn Taler verdient!

Willst du noch lange dein Gemüsesüppchen kochen oder nimmt die Geschichte mal Fahrt auf?
Sie nimmt, und zwar rasant, dank einer unerwarteten Wendung!

„Denn mein Geruchssinn kam wieder!“
Ah, wunderbar! Ich kann wieder alles erschnuppern!
SCHNUFF! SCHNUPPER!

„Und zwar besser als je zuvor!“
Schnüffel! Hm, diesen Geruch kenne ich doch?

Kein Zweifel möglich! Das ist er!

WITSCH!
Der Duft meiner geliebten Talerchen! Da gibt es kein Halten mehr!

Aha! Hier lang ist der Halunke gelaufen!

Beulen und Zahnlücken sind das Mindeste, was den Ganoven erwartet!

„Und keine zehn Minuten später…“
Herrje, Herr Duck! Wie kommen Sie hierher?
Immer der Nase nach, im wahrsten Sinn des Wortes!

Er hatte noch keine Zeit, Geld auszugeben. Ihr Vermögen ist vollständig.
Ja, das rieche ich.

Aber noch fehlen sechzehn Taler zur neunten Million!
Nicht mehr, Herr Direktor. Hier sind sie!

Ich nehme an, Sie werden das gebührend feiern?
Das muss warten! Zuerst habe ich ein Versprechen einzulösen!

Hurraaa! Unser alter neuer Besitzer Dagobert Duck lebe hoch!

Wir hätten nie gedacht, dass Sie Ihr Versprechen wahr machen!
Ein Dagobert Duck steht immer zu seinem Wort!
War es schwer, Herrn Spielfelder zum Rückver-kauf zu überreden?
Dazu möchte ich mich lieber nicht äußern. Nur so viel sei gesagt...
„Es waren zähe Ver-handlungen nötig..."
Bitte nehmen Sie das Team zurück, Duck! Sie kriegen es umsonst!
Abgelehnt! Da müssen Sie schon noch etwas drauflegen!
Aber was zählt, ist schließlich, dass wir nun wieder ein Team sind, nicht wahr?
Richtig! Zur Feier des Tages haben wir ein kleines Fest vorbereitet!
In der Tat? Was für eine Art von Fest denn?
Ein Sportfest!

„Und wir haben sogar die Presse dazu geladen!“
Aber, äh... ich kann doch gar nicht spielen!
Ach, kein Grund zur Sorge, Herr Duck! Das ist einfacher, als Sie glauben!
Sie brauchen nur den Ball zu treffen, den ich werfe!
Schluck! Genau davor ist mir ja bange!
Aller Augen sind auf uns gerichtet, Herr Duck!
Hätten es Kaffee und Kuchen nicht auch getan?
DUCK
Halten Sie drauf, Chef!
WITSCH!
Ups! Dem hab ich wohl einen Tick zu viel Drall gegeben.
Autsch!
POCK!

Freut euch! Die Geschichte von seiner zehnten Million gibt Onkel Dagobert bereits in LTB 408 zum Besten!

Margherita Carrer (Story), **Maria Luisa Uggetti** (Zeichnungen)

Ein Kommissar muss viel denken. Also legt er die Füße hoch. Er braucht einen...
OMMISSAR HUNTER

...guten Drehstuhl, um geistig fit zu... ups! **Oha!**
KNIRKS!

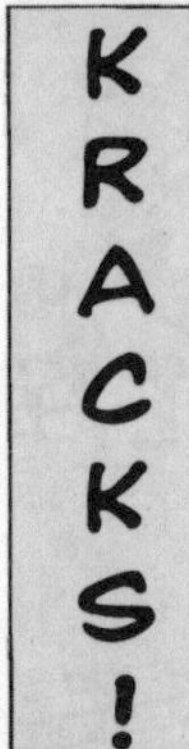
KRACKS!

KA-ROMMS!
Glb!

Oje! Wie sag ich das Kommissar Hunter?

Ack! Das ist er! Auch das noch!
BRIEP!
KOMM. HUNTER

Hallo, Issel.
Ha-hallo, Herr Kommissar.

Wie läuft's denn so in Entenhausen?
Könnte nicht besser laufen. Alles unter Kontrolle.

Wie geht's meinem Schreibtisch?
Bestens! Keiner wagt es, einen Fuß in Ihr Zimmer zu setzen.

Gut! Und bitte achten Sie darauf, dass sich keiner in meinen Lieblingssessel setzt.

Aber sicher, Kommissar Hunter!
Übrigens gibt es doch etwas zu berichten...
SSAR
TER

So? Was denn? Reden Sie schon, Issel!

Äh... Sie erinnern sich doch noch an den Kanaldeckeldieb?
„Den hab ich gestern geschnappt und gleich dazu verdonnert, sämtliche Kanaldeckel wieder einzusetzen!“
WURDE AUCH ZEIT!
JUHU!
GUT!
SUPER!
Etwas nach rechts... jetzt nach links... gut! Ablassen!
Grmpf!
Fein! Und Sie sind sicher, dass keiner meinen Schreibtisch angerührt hat?
Wie? Äh... aber klar!
Musst du denn sogar im Urlaub arbeiten?
Ups, ich muss Schluss machen. Meine Frau ruft.

Und so...
Die kommen auch mal ohne dich aus. Und? Sitzt du bequem?
O ja! Dieser Sessel ist großartig!
SANFTES SITZEN

Ich wünschte, mein Sessel im Büro wäre genauso bequem wie der hier!
Na, das ist ja auch ein absolutes Hightechgerät!

Hallo, Herr Direktor.
Es gibt sogar eine Fernbedienung!
Sie kennen sich aus, wie? Haben Sie etwa auch so einen Sessel zu Hause?
KLICK!

SURRR!
Nein, aber ich gebe zu, an den könnte ich mich glatt gewöhnen.
KLACKER!

Ich könnte Ihnen das Stück zu einem guten Preis überlassen.
Das klingt verlockend!
SURR! KLACK!

Seufz! Ich hatte ganz vergessen, dass die meisten Leute im Urlaub sind. Dann eben woanders.

Doch kaum will man eintreten...
He! Was soll denn das?
STÜHLE
ALLES ZUM HALBEN PREIS!
RASSEL!
KLANG!

Könnten Sie Ihren Laden nicht noch mal kurz öffnen?
Tut mir leid, ich bin vollkommen ausverkauft und hab mir einen Urlaub verdient!
HABE FERTIG!

Also geht die Suche weiter...
Wir führen wirklich fast alle Modelle, aber einen Bürostuhl, wie Sie ihn beschreiben, haben wir nicht in unserem Bestand.
KATALOG
Sind Sie sicher?

Natürlich! Ich kenne mich aus.
Könnten Sie nicht so einen bestellen?

Das wäre eine Spezialanfertigung! So was dauert gut sechs Monate.
Grmpf. Dann suche ich eben weiter!

Kurz nach Mitternacht...
SIND IM URLAUB!
SIND DANN MAL WEG!
ENDLICH FERIEN!
BIS NACH DEM URLAUB!
POLIZEI
Ich geb's auf! Ich bin wohl der Einzige, der hier noch arbeitet.

Uff! Keuch!
BONK!
KLÄNG!
WOMM!
Seufz! Nicht schön, aber selten! Und besser kriege ich's nicht hin!

Inspektor, der Einbrecher, den wir gestern verhaftet haben, möchte ein Geständnis ablegen!

Was? Äh... gut! In Ordnung, ich komme sofort. Ich muss hier nur noch kurz aufräumen, damit nichts durcheinandergerät!

Hrmpf! Nie wieder arbeite ich mit Schorsch dem Schreiner zusammen.
Hä?

Wenn du nicht sofort ausspuckst, wo dieser Schorsch zu finden ist, wanderst du für immer in den Bau! Haben wir uns verstanden?
Glb! Er lebt am Hafen.

Seine genaue Anschrift ist: Flossengasse 2.
Na bitte! Geht doch! Warum nicht gleich so?

Sag dem Richter, er soll ihm dafür ein paar Jährchen erlassen.

Das ist die Chance! Schorsch ist Hehler und auf Möbel spezialisiert! Vielleicht hab ich ja Glück!
URLAU
Man wählt eine unauffällige Verkleidung und...
Fantastisch! Der Drehstuhl da ist genau das, was ich suche!
Hast echt Schwein. Ist ganz frisch eingetroffen.
Du bist der Größte, Schorsch.
PATSCH!
Mann, ist der schwer! Das wird ein hartes Stück Arbeit!
Soll ich ihn als Geschenk einpacken oder reicht ein normaler Karton?

Am nächsten Morgen...
KOMMISSAR HUNTER
Uff! Stöhn!
VORSICHT!
ZERBRECHLICH!

Donnerwetter! Ich traue meinen Augen kaum! Der sieht wirklich genauso aus wie der alte Drehstuhl.
KOMMISSAR HUNTER

Könnten Sie mir wohl kurz helfen?
SPEZIAL-SCHWAMM BLITZI
NEU!
MEISTER SCHRUBBER

Und? Was sagen Sie?
Perfekt! Sieht aus wie neu! Jetzt kann der Kommissar kommen!

Der merkt gar nicht, dass ich den Drehstuhl ausgetauscht habe.
KOMMISSAR HUNTER

Wenig später...
Hallo miteinander!
Guten Tag, Herr Kommissar!
Oha!
INSPEKTOR ISSEL

Hallo! Wie lief's denn ohne mich?
Bestens! Wollen Sie sich nicht erst mal setzen?
KOMMISSA HUNTER

Später. Erst muss ich eine Lieferung in Empfang nehmen.
Meinen Sie die Kiste da?

Uff!
Puh!
Ah, gut! Dort hinüber bitte!
OBEN
ZERBRECHLICH!

Danke, ich denke, das war's... **Oh!** Warten Sie einen Moment!

Ich brauche Platz für meinen neuen Stuhl! Würden Sie den hier bitte entsorgen?

Mein neuer Bürostuhl! Bequem und mit allem erdenklichen Komfort ausgestattet!

Sogar eine Fernsteuerung gibt es dafür.

Seufz!

Ist das nicht absolut fantastisch, Issel?
So was ist sicher schwer zu finden, oder?
Und schwer zu ersetzen. **Ächz!**
ENDE

Bruno Sarda und Giorgio Figus (Story), **Lino Gorlero** (Zeichnungen)

Das ist alles bloß eine Frage der Zeit, weißt du.
Die nimm dir nur und denk in aller Ruhe nach.

Ich kann ja derweil den Rasen mähen. Oder die Jungs großziehen.
Hrmpf!

WRRRRRRM!
?
!

Was denn?
WRRRM!

KRACKS!
MP3

Bin... **krks**... verreist! **Spratz**... Befehle... **krrzzz**... auf Band.
Ha?

Das ist eine Nachricht vom DGD*!
Offenbar!
*Duck'scher Geheimdienst. Zum Schutze der Schätze seines Namensgebers.

Fahrt.. **frrz**... nach Oberibl... **spratz**... hi... **frzz**... Dorfgasthof... **sprzz**... **krks**... **frzz** ... Anweisungen... **krrzzz**... neue Mission...

Sonst ruft er uns immer ins Hauptquartier.
Und faltet uns auf Vorrat zusammen.
„Darin ist Onkel Dagobert unschlagbar."

Da sind mir so ein paar Bruchstücke Luftpost lieber.
Scheint eine Einwegbotschaft zu sein.

Und was machen wir jetzt, Donald?
Selten dumme Frage. Wir fahren sofort nach Oberibl!

Stunden später erreichen die beiden Agenten den kleinen Ferienort in den Bergen...
Wird wohl eine geruhsame Mission.
EB
Eine gewagte Annahme! Alles, was recht ist...

Und was nun?
EB

Nun suchen wir den Dorfgasthof, von dem die Rede war.
AUSGANG

GASTHOF ZUM PFINGSTOCHSEN
In dem Dorf gibt es aber viele Gasthöfe.
GASTHOF ZUM KOCKOCK
...HOF ZUM ERSTEN MAHL
GASTHOF ZUM IBL
Ack!

Wie sollen wir denn da den richtigen finden?
Schau!

DORFGASTHOF
Hmm.

Gehen wir. Aber ich finde, das war fast zu einfach.
Wir haben halt Glück gehabt.
GASTHOF

Und an den Yeti glaubst du auch? Na, ich bin gespannt, was uns da drin erwartet.
Ich auch.

Hmm. Irgendwas sagt mir, dass diese komischen Vögel meine beiden Agenten sind.

Psst, Herrschaften! Hier rüber zu mir!
Hm?

Willkommen in Oberibl. Ich bin Agent Blond, Jakob Blond.

Ist nicht dein Ernst.
Aber ja. Ich schätze unauffällige Tarnnamen.

Findest du den Kollegen normal?
Wer ist schon normal. Onkel Dagobert vertraut ihm, oder?

Wir haben gehört, dass der Chef verreist ist...
Ja. Und mich hat er mit der Leitung der Mission beauftragt.

Worum geht's denn diesmal?
Hochgeheime Sache! Darf sich auf keinen Fall rumsprechen!

Kommt mit, dann muss ich nicht viele Worte machen.
RUMPELKAMMER

Und jetzt sagt mir, was ihr gerade in Händen haltet.
Na ja, das hier ist offenbar ein Hemd von Caloste.
Und das eine Jeans von Benzzin.

Oh, und ein hübsches Täschchen von Strada!
Alles sehr namhafte Marken, nicht wahr?

Aber leider sind diese Schmuckstücke allesamt Fälschungen!
?
!

Was den Chef sehr schmerzt, weil der Ruf seiner Firmen leidet! Zudem bleibt für jede verkaufte Fälschung ein Original liegen.

Haben wir jemanden im Verdacht?
Allerdings! Unsere Beobachtungen lassen vermuten, dass die Fälschungen hier aus Oberibl stammen...

...aus einer unscheinbaren kleinen Fabrik, die nebenbei zur Tarnung die üblichen billigen Andenken für Touristen herstellt.
Verstehe. Und was machen wir jetzt?
DORFGASTHOF

Wir finden raus, ob die Vermutung zutrifft. Und zwar heute Nacht!

Deshalb...
Das ist die fragliche Fabrik.
ANDENKEN ALLER ART

Die offizielle Ausrüstung für geheime Einsätze ist ja bekannt. Oder gibt es dazu Fragen?
Nein!

Gut, dann mir nach. Aber Vorsicht, passt auf, wo ihr hintretet!

KNACK!

Pssst!
Ähem.

Der Schlummerschaum versetzt das Sicherheitssystem fachgerecht in Tiefschlaf, sozusagen.
PERSONAL
SPROTZ!

Und das Schloss, das der digitale Dietrich nicht schafft, muss erst noch geschmiedet werden.
PERSONAL
KLACK!

Wir trennen uns, Kollegen. Und wer etwas Verdächtiges findet, schlägt Alarm. Aber leise! Klar?

Das hier scheint der Verkaufsraum zu sein.

Nichts als Tüll, Tand und Tinnef, da kommen einem glatt die Tränen.

Man fragt sich wirklich, wer an so einem Gerümpel Gefallen finden soll.

Dussel!

Ist das etwa nicht schön?
Der Sinn für Schönheit ist meist auch ein Gradmesser für die Intelligenz.

Nichts entdeckt?
Nein. Hinten sind nur die Fertigungsanlagen, in denen dieser Schrott hergestellt wird.

Wir sollten lieber verschwinden, bevor wir noch...
Oh! Aah!

Niedlich! Das muss ich mir aus der Nähe ansehen!
Manchmal zweifle ich an deinem Verstand!

Nanu?
KLACK!

!
!
SURR!

So was! Eine geheime Treppe! Gut gemacht, Agent Dussel!
Auf mein Gespür ist eben Verlass!
BONK!
KLONK!

Hört sich an, als sei da unten mächtig viel Betrieb!
KLANG!
SURR!
RASSEL!

Aha! Wir hatten also recht mit unserem Verdacht!
Sieht so aus! Hauen wir besser ab, bevor die noch merken, dass sie Besuch haben!
DRRRRR!
KLONK!
RASSEL!

Uje! Ich fürchte, sie wissen es schon!
ZOSCH!
Kümmert euch um die Herrschaften.

Schon wieder in der Zwickmühle!
Noch nicht! Alles mir nach!

HOPS!

Haltet die drei auf! Das sind Spione!
Höchste Zeit für die Ausrüstung, Dussel!

Ich schlage eine Schlafgaskugel vor!
Äh... war die sonst nicht immer pink gepunktet?

Stimmt! Aber es ist das einzig Runde im Rüstsack, also wird's wohl das Richtige sein!
POFF!
PFOMM!

Verflixt! Das sind Blendgranaten!
BLITZ!

So war das aber nicht gedacht!
Offenbar hat sich der Herr Ingenieur was Neues einfallen lassen.

Damit wir nicht immer völlig im Dunkeln tappen, wenn wir nicht wissen, wo's langgeht.
Schön, dass wenigstens du unser Genie verstehst. Und was jetzt?

Egal! Mach einfach irgendwas, Dussel!
Leichter gesagt als getan! Das sieht alles so anders aus als sonst!

Los,
komm mit!
Vielei... **eiei!**
WUTSCH!
PLOMM!
Na, Herr Düsentrieb kriegt was zu hören von mir! Ändert der sang- und klanglos die Ausrüstung, ohne einen Ton zu sagen! **Schnaub!**

Überrasch...
GEFAHR

...ungh!
BLAMM!

Ich fürchte, jetzt sind wir verratzt!
Etwas Hilfe wäre schon nett. Aber Kollege Blond hat sich wohl vor Schreck alleine aus dem Staub gemacht!

Apropos Schreck... hab ich da nicht gerade den Griff von einem Schockstrahler gesehen?

Na bitte! Damit legen wir den wilden Haufen locker lahm!

Mir kommt das Ding aber nicht bekannt vor.
Eure Wasserpistole könnt ihr vergessen, Leute! Damit macht ihr uns nicht nass!
Er ist für die trockenen Sprüche zuständig, hehe!

Ihr habt es so gewollt!
SPROTZ! SPROTZ!

Oha! Wieso ist mir plötzlich so schlüpfrig zumute?
Kann mich kaum auf den Beinen ha...
WITSCH!
SCHLURPS!
SCHLUPP!

...aaaah!
Da, die Treppe rauf!
Schon dabei!
HOPS!

Keuch! Wir sind gerettet!

Glaubt ihr?
Nicht schon wieder die!
ANDENKEN

Ich versuche, sie hiermit aufzuhalten! Äh... was soll das eigentlich darstellen? Sieht irgendwie aufblasbar aus.

Uack!
Der Bursche hebt ab!
FSSSCH!

PANG!
ZIPP!
PFFFT!
Das legt sich gleich!

Ungh!
ZISCH!
WUMMS!

Respekt! Perfekte Punktlandung!

Endstation!
POCK!
SKRIIIE!

Gebt auf! Wir kriegen euch ja doch am Wickel!
Nicht solange wir noch was zum Werfen in Reichweite haben!
Und so bald geht uns hier drin die Munition nicht aus!

Wobei mich gerade eine bessere Idee beschleicht. Reich mir mal den Rüstsack, Kollege!
Was hast du denn vor?

Den ganzen Inhalt auf einmal einsetzen! Nach dem Gesetz der Wahrscheinlich-keit...

„...müsste irgendwas davon Wirkung zeigen!“
PFUMP!
PLOPP!
PANG!
SPROTZ!
KLING!
FLATSCH!
FLUPP!
Ich weiß nicht, ob das der Weisheit letzter Schluss war, Dussel.
Worauf wartet ihr noch? Knöpft euch die beiden Dilettanten vor!

Heda! Wo kommt der Qualm plötzlich her?
Egal! Der hält uns nicht auf!

Oder doch? Übrigens, irgendeine Pflaume steht auf meinem Fuß.
GNAGG!

Äh... tut mir leid! Aber man sieht ja kaum die Hand vor Augen!
Hehe! Gut so!

Geschafft! Wir sind gerettet!
War Glück, dass unter all diesem komischen Krempel, den ich nicht kenne, auch eine gewöhnliche Rauchbombe war!

He, ihr da!
O nein! Noch mehr Wachmänner!

Keine Bange, ich bin's nur! Tut mir leid, dass ich euch da drin im Stich lassen musste!

„Aber nur so hatte ich die Möglichkeit, die Staatsmacht zu Hilfe zu rufen!“
Die Bullen!
Verflixt! Wir sind aufgeflogen!
LALÜÜÜÜÜÜ!!
LALAAAAAA!

Ich hab dem Chef berichtet, wie wacker ihr euch bei dem Einsatz geschlagen habt! Er war so angetan von meinen lobenden Worten...

„...dass er darauf bestanden hat, euch persönlich zu beglückwünschen!“
Ganz sicher, dass wir hier richtig sind?
Offenbar ein neues Hauptquartier!

War auch Zeit. Aber so viel Luxus hätte ich im Traum nicht erwartet!
Mich wundert, dass ihr euch darüber wundert! Man könnte meinen, ihr kennt euren eigenen Chef nicht...

*Klever'scher Geheimdienst.

Ja, vielleicht hat er es noch nicht erfahren.
Aber eins kapier ich bei der Sache nicht, Agent Donald! Er hat uns doch selbst hingeschickt zu...
DORFGASTHOF

...diesem Dorfgastho... **ooompf!**

Da seid ihr ja endlich! Seit gestern steh ich mir hier die Beine in den Bauch! Hab ich nicht deutlich genug gesagt: „Hinter dem Dorfgasthof"?

Nein, hast du nicht! Vielleicht leistest du dir allmählich mal ein paar modernere Kommunikationsmittel!
Dummer Gedanke! Alles Moderne ist maßlos überteuert!

Pah! Ich mach Feierabend!
Kommt gar nicht infrage! Ihr habt eine Mission zu erfüllen!

Und jetzt würde ich ganz gerne erfahren, was ich „vielleicht noch nicht erfahren“ habe!
Ups!

Man erklärt widerstrebend...
Tja, so war das!
So was! Das war genau der Auftrag, den ich euch übergeben wollte!

Was? Im Ernst?
Hier, all diese Fälschungen kommen aus Oberibl und tragen die Namen meiner Firmen! Ein Umstand, den ich auf keinen Fall länger zu dulden bereit war!

Und Klevers Ware wurde genauso gefälscht?
Richtig! Weshalb er natürlich dasselbe Interesse daran hatte wie ich, dass diesen Ganoven endlich das Handwerk gelegt wurde.

Ihr habt also bereits getan, was ihr tun solltet... wenn auch im Namen der Konkurrenz.
Heißt das, du bist nicht böse auf uns, weil wir für Klever gearbeitet haben?

Warum sollte ich? Ihr habt mein Problem gelöst, und das auf die denkbar sparsamste Weise.
Wieso sparsam?

Na, weil ihr die Mittel des KGD verpulvert habt! Ihr ahnt ja nicht, was es kostet, so einen Rüstsack für Agenten zu bestücken.

Zur Feier des Tages gedenke ich, euch ausnahmsweise zu einem Festmahl einzuladen.
Schluck!

Gehen wir in den Dorfgasthof? Der hat recht einladend ausgesehen und...
Wie kommst du nur auf so kostspielige Ideen? Ich lade euch zwar ein...

...aber in den Geldspeicher, wo Baptist uns lecker mit trocken Brot und lauwarmem Leitungswasser bewirten wird!
Und ich hab schon gedacht...
Wär ja auch zu schön gewesen, um wahr zu sein. Seufz!
HOF
ENDE

Bruno Concina (Story), **Ottavio Panaro** (Zeichnungen)

Rosalinde! Wie geht es dir?
Mir geht's gut, danke! Aber du siehst etwas mitgenommen aus!

Lass mich raten. Es ist wieder wegen dieser Münze, hm?
Richtig geraten! Ich kann an nichts anderes mehr denken!

Du glaubst gar nicht, wie sehr es mich quält, dass ich immer wieder versage!
Das tut mir leid!

Aber vielleicht weiß ich ja, wie du an dein Ziel kommst!
Wirklich? Lass hören!

Langsam! Erst muss ich herausfinden, ob es tatsächlich machbar ist!

Ich melde mich wieder! Bis bald, Gundel!
Beeil dich bitte!

Und so, vor dem Hexen-rat...
Ich kann nur hoffen, du hast einen guten Grund dafür, den Hexenrat zusammen-zurufen, Rosalinde!
O ja! Das will ich meinen!

Dieser Fall ist ziemlich vertrackt!

Erzähl schon!
Ihr wisst doch, was für ein Kummer meine Freundin Gundel plagt! Man könnte vielleicht etwas dagegen tun, nämlich... **bla, bla...**

Warum nicht?
Einver-standen!
Ich auch! Aber nur für einen Tag!

Vielen Dank! Ich werde ihr die gute Nachricht gleich überbringen!

Wenig später...
Gundel, du hast die Erlaubnis, einen ganzen Tag lang eine normale Frau zu sein und keine Hexe!
Das ist ja großartig!

Das heißt doch, dass kein Hexenalarm auf mich ansprechen wird?

Ja! Aber eine Sache ist vielleicht noch wichtiger...
Krah?

Knoblauch kann dir auch nichts mehr anhaben!

Fantastisch! Dann mache ich mich gleich ans Werk!
Du weißt also, worauf du dich einlässt?

Gut, dann gilt der Zauber... **ab jetzt!**
ZAPP!

Hehehe! Ich schwinge mich auf den Besen und...
Nichts da! In den nächsten 24 Stunden sind sämtliche Hexenwerkzeuge tabu!

Du musst einen Flug nach Entenhausen buchen!
Hm... gut!
ZAPP!

Krah?
Natürlich nehme ich dich mit, mein Kleiner!

Du sollst meinen Triumph doch miterleben!

Und so...
Hallo? Ist dort Dagobert Duck?
Ja! Und wer sind Sie?

Norma Loreley! Ich hätte Ihnen ein interessantes Geschäft vorzuschlagen!

Für Geschäfte bin ich immer zu haben! Ich erwarte Sie in meinem Geldspeicher!

Hihi! Ein interessantes Geschäft... vor allem für mich!
KLACK!

Diesmal schnappe ich mir den Zehner, hörst du?
Krah!

Und dann...
Stets zu Diensten, Gnädigste!
ENTENHAUSEN
TAXI
Taxi!

Wo soll's denn hingehen?
Zum Geldspeicher von Dagobert Duck!
TAXI

In den Geldspeicher darfst du aber nicht, Nimmermehr!
WROMM!
HAPPY AIRLINES

Dann würde er sofort Lunte riechen!
Verrückt! Redet die etwa mit dem Raben?

Aber du kannst mir durch eines der Fenster von draußen zusehen!
Krah! Krah!

Und der Vogel antwortet sogar! Sachen gibt's! So was hab ich noch nie erlebt!
KRATZ! KRATZ!

Bald darauf...
Wollen Sie wirklich hier unten aussteigen? Ich kann Sie auch bis zum Eingang hinauffahren!
Nein, nicht nötig!
TAXI
Ich möchte es in vollem Bewusstsein erleben, dass ich...
...diesmal völlig unbehelligt an den Fallen vorbeispazieren kann, hehe!
HALT!
Bis gleich, mein Kleiner! Such dir einen schönen Platz aus, von dem du alles gut mitbekommst, ja?
Und ich gehe jetzt in aller Ruhe durch den Haupteingang!

Guten Tag! Ich bin Norma Loreley und bin mit Herrn Duck verabredet!
Ah ja! Baptist, geleiten Sie Frau Loreley doch bitte in Herrn Ducks Arbeitszimmer!
Gern!
TTTTT

Ihr Besuch ist da, Herr Duck!
Bitten Sie sie herein!

Bitte sehr!
Seien Sie mir herzlich willkommen!

Ich bin hocherfreut, Ihre Bekanntschaft zu machen!

Hihi! Wenn der wüsste, dass er gerade seiner ärgsten Feindin die Hand küsst!

Nehmen Sie doch Platz!
Danke!

Hm, komisch... Könnte es sein, dass wir uns schon einmal begegnet sind?
Wie?

Nein, das glaube ich kaum! Ich bin erst seit Kurzem geschäftlich tätig!
Hm...

Dann lassen Sie doch mal hören!

Ich komme im Auftrag der Firma Strahlmann und Söhne! Wir sind auf das Polieren von Münzen spezialisiert!

Donnerwetter! Gundel legt sich ja mächtig ins Zeug! Wie eine richtige Geschäftsfrau!

Ich könnte Ihnen unsere Politur zu einem günstigen Preis überlassen!
Hm...

Irgendwie erinnert sie mich an diese Hexe! ... Aber dann hätte der Alarm anschlagen müssen! Und dennoch...

Äh... darf ich Ihnen einen kleinen Imbiss anbieten?
Ja, gern!

Könnten Sie uns wohl ein paar Schnittchen bringen, Fräulein Rührig? Sie sollten aber ordentlich mit Knoblauch gewürzt sein!
TTTTT

Doch...
Das war wirklich sehr lecker! (Mampf!) Besonders die eingelegten Knoblauchzehen!
Freut mich, dass es Ihnen geschmeckt hat! Ich esse Knoblauch nämlich für mein Leben gern!
DD

Gut, Gundel! Nach dieser bestandenen Prüfung kann er nun keine Zweifel mehr hegen, hihi!

So, und nun zurück zum Geschäft! Bevor ich mich entscheide, muss ich Ihre Politur erst einmal ausprobieren!
Selbstverständlich!

Ich lasse Sie auch nur kurz allein!
Bitte, kein Problem!

Während ich weg bin, müssen Sie unbedingt diese Münze hier bewundern! Das ist mein berühmter Glückszehner!
Aber gern!

Hurra! Haha! Ich bin am Ziel!
HOPS!

Na bitte! Der Hexenalarm schlägt nicht an! Damit ist der Zehner endlich mein!

Natürlich werde ich die Münze durch eine andere desselben Jahrgangs ersetzen!

Dann dauert es ein paar Stunden länger, bevor er den Diebstahl bemerkt!

Ich habe Ihnen ein paar Blumen besorgen lassen, Frau Loreley!
Uff, das war knapp!
Oh! Äh... wie nett!

Schnupper... dieser Duft! Bezaubernd!

Ihre Politur ist großartig! Ich werde sie kaufen!
Danke! Das freut mich sehr!

Am Tag darauf...
Jetzt bin ich aber gespannt, ob unser Plan geklappt hat! Ich rufe Gundel gleich mal an!

Oh, die Kugel blinkt! Offenbar versucht da gerade jemand, mich anzurufen!

Gundel! Was ist?
***Seufz!** Hallo, Rosalinde!*

Buhuuu! Ich hab den Zehner wieder nicht gekriegt!

Meine Verkleidung war super und mein ganzer Auftritt hat Bertel überzeugt, aber aus irgendeinem...

...Grund hatte er den Zehner gegen eine völlig wertlose Münze ausgetauscht!

Hihi! Ich hab meinen Glückszehner sogar vor den Augen der Hexe ausge-tauscht!
Wirklich schlau von Ihnen, Herr Duck!

Aber woran haben Sie die Hexe erkannt?
Reiner Zufall!

„Als ich kurz aus dem Fenster sah, saß dort ein Rabe, der sich vor Lachen kaum noch halten konnte! Da war für mich der Fall natürlich klar!"

Trotzdem würde ich einiges darum geben, wenn ich wüsste, wieso...

...der Knoblauch keine Wirkung gezeigt hat!
Tja, das ist wirklich merkwürdig...
ENDE

Mark und Laura Shaw (Story), **Bancells** (Zeichnungen)

Ich brauche eure Hilfe! Onkel Dagobert meinte, dieser Job sei meine letzte Chance!

Ich habe bisher immer versagt! Wenn es diesmal auch so ist...
...wird er mich nie wieder unterstützen!

Schon gut, Onkel Donald!
Wir haben ja versprochen, dass wir dir helfen!
Seufz! Es wäre viel schöner, wenn wir hier Ferien machen könnten!

Stattdessen müssen wir uns um diesen abgetakelten Schuppen kümmern!
GESCHLOSSEN!
ZUTRITT VERBOTEN!

Abgetakelt vielleicht! Aber zu seiner Zeit war dies das modernste Kraftwerk der Welt!
Es war das erste, das die Kräfte des Niagara bändigen konnte!
KRACKS!

Gebaut hat es Nikita Neotek! Der Mann war ein absolutes Genie!
Neotek!?
Ja, der ist wirklich bekannt!
Es heißt sogar, er war noch genialer als Edison!

Auf jeden Fall war er um einiges verrückter! Statt sich um sein Geschäft zu kümmern...
...hat er immer wieder merkwürdige Experimente mit der hier gewonnenen Elektrizität angestellt!

Hat er nicht ein böses Ende genommen?
Sogar ein ziemlich übles, oder?
Wohl wahr!

Er hat den Verstand verloren! Er hat nämlich versucht, die Leute zu erpressen, indem er drohte...
...den Wasserfall aufzuhalten!
HUHUA! HAHAAA!
Und dabei ist er dann verschwunden! Keiner hat ihn je wiedergesehen!
Irre!
Kurz darauf hat Onkel Dagobert dieses Wunderwerk gekauft und so lange betrieben...
...bis man es durch modernere Kraftwerke weiter flussaufwärts ersetzt hat!

Allerdings hat er es nur ungern geschlossen! Es ist so perfekt konstruiert...
...dass es fast nichts an Unterhalt kostet!
Ganz genau!
Aber das war einmal!
Uaaah!
Onkel Dagobert!?
Wa-was ist denn das für ein Ding?
Das nennt sich Video-Drohne!
Damit kann ich euch im Auge behalten, ohne Entenhausen zu verlassen!
Hehehe!
Los, an die Arbeit!
Vorwärts!
Unglaublich!

Heißt das etwa, du vertraust mir nicht?
Lass stecken, Onkel Donald!
Er ist weg!
So was! Onkel Dagobert auf Hightech-Trip!
Aber er hat uns etwas dagelassen!
Was ist das? Schreibtafeln?
Und Taschenlampen!
Dann wollen wir mal loslegen!
Dieser Fahrstuhl fährt nirgendwo mehr hin!
Von gut erhalten kann keine Rede sein!
Ohne Strom funktioniert ein Fahrstuhl sowieso nicht!
Wir müssen also die Treppe nehmen!
Verrückt! Und dabei...
...hat diese Anlage früher genug Strom für eine ganze Kleinstadt geliefert!
Tut sie aber nicht mehr! Vorwärts!

Die Abflussrohre liegen schon lange über dem Niveau des Wasserspiegels!
Da kann man nur hoffen...
...dass das auch so bleibt!
Du liebe Güte! Ist das unheimlich hier!
Das kannst du laut sagen!
Sieht aus wie eine gemauerte Speiseröhre!
Ist es denn noch weit?
Das Kraftwerk liegt tief unter der Erde!
Direkt unter den Niagarafällen!
RAUSCH!
Das glaube ich gern!
Man kann sie schon hören!

Geschafft! Wir haben das Ende erreicht!
Endlich!
Vorsichtig, Kinder!
Alles völlig verrostet!
Bei der Feuchtigkeit hier ist das auch kein Wunder!
Ein Wunder ist es eher, dass überhaupt noch was steht!
Diese Treppe führt wohl zur Zentrale!
Ziemlich wackelig, oder?
Hört ihr das auch? Neben dem Rauschen ist da noch was anderes!
BIEP!
BIEP!
BIEP!
BIEP!

Da piept was! Hört ihr das nicht?
Nein!
Das bildest du dir ein! Hier ist nichts und niemand!
BIEP!
BIEP!

Gute Güte! Dieses Gewölbe ist ja riesig!
Wahnsinn! Eine richtige Halle!
Na klar! Sonst würden die Riesenteile ja auch nicht reinpassen!
BIEP! BIEP!
RAUSCH! 
Gruselig!
Wir sind genau hinter den Fällen!
Das will ich mir ansehen!
Nichts da!

Wir sind hier, um zu arbeiten!
Onkel Dagobert will, dass wir den gesamten Schrott genau erfassen!
Also los! Fangt damit an!
Was? Im Ernst?
Wir untersuchen als Erstes die Turbinen! Ich fange hier an und ihr dort hinten!
Mu-muss das sein?
Dort ist es stockdunkel!
Ich dachte, ihr mögt so was?
Schon, aber...
...nicht hier!
Hoppla!

Komisch! Die Turbine sieht aus wie neu!
Und das Schaltpult auch!
Das ist mehr als merkwürdig!
Umso besser! Onkel Dagobert freut sich sicher, wenn es so ist!
Allerdings!
Argh!
Und ich würde mich noch mehr freuen, wenn es schneller ginge!
Ist das verstanden?
Ja, sicher!
Ich zahle euch keine 50 Kreuzer pro Stunde fürs Faulenzen!
Hör auf, uns nachzuschnüffeln!
Hehe! Jetzt weiß er jedenfalls, was ich von ihm erwarte!

Diese Halle ist so riesig, dass wir nicht mal mehr Onkel Donald sehen können!
Und wir haben erst die Hälfte hinter uns!

Selbst der Wasserfall ist hier nicht zu hören!

Endlich! Das ist die letzte Turbine!
Die ist Schrott!
Stimmt! Das Ding besteht fast nur noch aus Rost!

O nein! Hier steht, dass wir jede einzelne Schraube überprüfen sollen!
Dann wollen wir mal, Brüder!

RASCHEL!
Ups! Was war das?
Ihr habt das also auch gehört?
Ich war mir erst nicht so sicher...

Diese Geräusche gefallen mir gar nicht!
Und alles außerhalb der Reichweite unserer Taschenlampe!

Meint ihr,
das sind Ratten?
BIEP! BIEP!
Nichts wie weg!
Ratten piepsen nicht!
Onkel Donald!
Was? Schon zurück? Habt ihr denn schon alles inspiziert?
Keuch! Da ist etwas...
...das wir nicht inspizieren möchten!
Wir sind nicht allein hier unten, Onkel Donald!
Hier spukt es!
Und der Spuk piepst!
Ihr wollt euch doch nur vor der Arbeit drücken, oder?
Nicht doch!
Aber wir brauchen dich!
Und vor allem deine Taschenlampe!
Kindereien! Na schön... ihr könnt mir bei meiner ersten Turbine helfen!
Unfass-bar!

Auch die zweite Turbine sieht aus wie neu!
Macht ihr Witze?
Die hab ich gerade als schrottreif eingestuft!
Aaah!
Aber... das gibt's doch nicht!
Eben war sie noch von oben bis unten voller Rost!
Moment! Ich hab da eine Idee!
Ich werde die Turbine mal einschalten!
Ohne Strom läuft gar nichts! Das kannst du dir sparen!
Bist du da sicher?
KLICK!

Kaum beginnt sich die erste Turbine zu drehen, als...
WROARRR!
Japs!
Wahn-sinn!
Jetzt sieht man alles ganz genau!

Seht euch das an!
Die waren es also, die gepiepst haben!
Iiieks! Hilfe!
BIEP!
BIEP!
BIEP!

Winzige Roboter!
Hunderte von Hilfsarbeitern! Die reparieren und reinigen die Turbinen!
Äh... beißen die?
Nein! Die piepsen nur!

Sicher stammen die noch von Nikita Neotek...
...und sind auf die Wartung der Turbinen spezialisiert!
Schon komisch, dass die gerade jetzt tätig werden, oder?

Unsere Ankunft muss sie aufgeweckt haben!
Seht, sie kommen aus dem Loch da!

Dann muss sich hinter der Wand noch ein Raum befinden!
Wo mag der Eingang sein?
KLACK!
?

Liebe Güte! Das ist ja...
Ein geheimes Labor! Das kann nur Nikita Neotek...
...gehört haben!

Er muss all das hier erfunden haben, bevor er verschwand!
Der hatte echt was drauf, wie?
Das kannst du laut sagen!
Seht mal, was mag das sein?

Onkel Dagobert wird sich freuen!
Wir müssen ihm gleich davon erzählen!
Nur nichts überstürzen, Kinder!
Vielleicht handelt es sich ja um seine misslungenen Erfindungen!
Zum Beispiel dieses Ding hier...
...könnte doch einfach eine Spielzeugpistole sein!
BRATZ!
Oha! Du hast die gesamte Decke vereist!
Nicht übel...
...für ein Spielzeug!
Allerdings! Dieses Ding ist gefährlich!

Seid hübsch vorsichtig, Kinder!
O ja! Das sind wir!
Allerdings!

Was ist das denn? Etwa eine Telefonzelle?
Das hier scheint wohl das Steuerpult zu sein!

Jede Menge Knöpfe und Hebel!
KLICK!

ZRUMM!

Wa-was war das denn?
Ich fühle mich irgendwie durchleuchtet!
KRICKS!
SPRONG!
Uaaah!

Onkel Donald! Da! Da bist du ja noch einmal!
Au Backe!

Äh... wer sind Sie?
Ich bin... Donald Duck... glaube ich jedenfalls!

Der ist ja völlig gaga!
He! Ein altes Notizbuch von Nikita Neotek!
SCHNIPP!

Vielleicht erfahren wir da ja mehr.
Hier steht, dass dieses Gerät ein „Replikator" ist!

Der Erfinder wollte sich offenbar selbst duplizieren, um einen perfekten Assistenten zu haben!

Ein Assistent? Aber ja!
Das ist eine tolle Idee!

Verstehst du, was ich sage? Gut, dann übernimmst du jetzt meinen Job!
In... Ordnung!
Seht euch das an! Er tut's tatsächlich!
Bist du dir da so sicher?
Normal wirkt der nicht gerade!
Den sollten wir besser im Auge behalten!

Unsinn! Ich finde, er macht einen guten Eindruck!
Außerdem nimmt er mir die lästige Arbeit mit der Inventur ab!
Ich wüsste zum Beispiel nicht, als was ich das hier bezeichnen sollte!

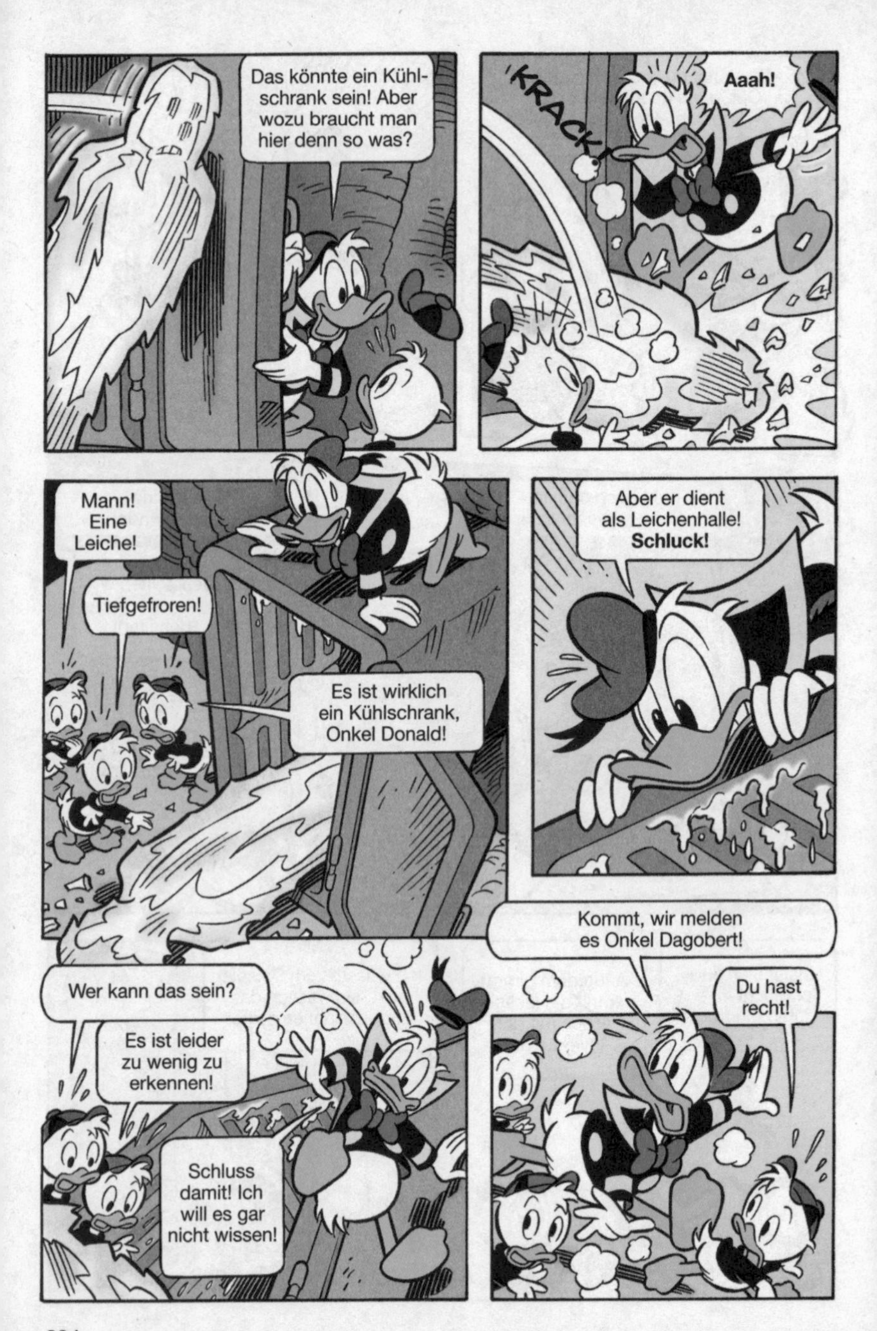
Das könnte ein Kühlschrank sein! Aber wozu braucht man hier denn so was?
KRACK!
Aaah!
Mann! Eine Leiche!
Tiefgefroren!
Es ist wirklich ein Kühlschrank, Onkel Donald!
Aber er dient als Leichenhalle! **Schluck!**
Wer kann das sein?
Es ist leider zu wenig zu erkennen!
Schluss damit! Ich will es gar nicht wissen!
Kommt, wir melden es Onkel Dagobert!
Du hast recht!

Huhuuu, Onkel Dagobert!
Wo bist du?
Wo ist diese blöde Spionagekugel, wenn man sie mal braucht?
?
Donalds Doppelgänger wundert sich über die Aufregung...

Ich soll arbeiten, und die haben genug Zeit, um sich zu vergnügen!
Das gefällt mir gar nicht!

Mir reicht's! Ich will endlich auch tun, was mir Spaß macht!

Diese Maschinen könnten mich richtig reich machen!

Ich wäre schön blöd, wenn ich das alles Onkel Dagobert überlassen würde!
Und blöd bin ich nicht!

Onkel Dagoberts Spionage-Drohne ist und bleibt verschwunden...
Wo kann sie nur sein?
Vielleicht sieht er sich ja die Wasserfälle an?
Der doch nicht! Dann würde er doch Energie verschwenden!

Ich suche in den Abflussrohren! Ihr seht euch in der Zentrale um!
Lass uns lieber zum Labor gehen!
Warum das denn?

Weil da sicher ein Telefon ist!
Dann können wir Onkel Dagobert wenigstens anrufen!
Eine gute Idee!

Jedoch...
Onkel Donald!
Was suchst du denn hier?
Ich schmiede Pläne! Hehe!

Was für Pläne?
Gewaltige Pläne!

Überlegt doch mal! Was wäre, wenn Neotek nun nicht verrückt, sondern superstark und mächtig geworden wäre?

Äh... ist das dein Ernst?
Und um seine Superkräfte unter Beweis zu stellen, hatte er vor...

...die Niagarafälle anzuhalten!
Hör auf damit! Du machst uns Angst!
Ja! Das ist doch purer Unsinn!

Das nennt ihr Unsinn?
Nicht!
BRATZ!

Der wollte uns glatt einfrieren!
Der ist völlig durchgeknallt!
HUA! HA!

Und was jetzt?
Kommt! Wir folgen ihm erst einmal und...
?
Brrr! Stöhn!

Oh! Seht mal, der Eisblock ist geschmolzen!
Das gibt's doch nicht!
Oooooh!

Das verschwundene Genie!
Bibber! Ist mir kalt! **Schauder!**

Hallo, Herr Neotek!
Sie gelten seit vielen Jahren als verschollen!
Was ist denn passiert?
Verschollen? Seit vielen Jahren?

Ich kann mich nur noch erinnern, dass ich meinen Replikator getestet habe.

„Es gelang mir, mein Ebenbild zu schaffen..."
„...aber irgendetwas war schiefgelaufen!"

„Denn ganz ohne Vorwarnung fror mich mein Doppelgänger mit dem Kältestrahler ein!"

Mehr weiß ich nicht mehr!
Er muss Sie hier eingebunkert haben...
...wo niemand Sie finden konnte!

Dann war es also Ihr Doppelgänger, der damals verrückt geworden ist! Nicht Sie, wie alle dachten!
Oje, Brüder!

Onkel Donald ist doch auch verdoppelt worden! Wenn der Replikator also eine Störung hat...
...dann ist sein Doppelgänger vielleicht...
...auch ein bösartiger Verrückter!
Das steht zu befürchten!

Offenbar vergisst der Replikator beim Verdoppeln das Gewissen des Originals!
Schnell, Brüder! Wir müssen Onkel Donald warnen!
Und alle anderen auch!

Der Doppelgänger stürmt inzwischen auf den Ausgang zu...
Diese Waffe macht mich unbesiegbar! Mich hält keiner auf!
Donald!
Uaaah!
Warum bist du nicht bei der Arbeit?
Grrr! Du elender Sklaventreiber!
BOFF!
Was fällt dir ein, mich so zu erschrecken?
Aber dir werd ich's schon zeigen!
POMM! POMM! POMM!
Was ist nur mit Donald los? Ist der verrückt geworden?
POMM! POMM!

Und hepp!
Korb für Donald!
Das Publikum rast vor Begeisterung!
KLONK!
Lass das, Donald!
ZRAPP!
Wenn ich es nicht besser wüsste, würde ich meinen, Donald sei rebellisch geworden!
Was ist denn das für ein Lärm? Oh, die Spionagekugel!
Huhu, Onkel Dagobert! Hörst du mich?
Oha!
Schau an, schau an!

Du solltest doch arbeiten, oder?
Spiel hier bloß nicht den Boss!

Du hast mir gar nichts zu befehlen! Klar?
BRATZ!

Heilige Eiszeit!
Der Kerl will mich offenbar einfrieren!

Helles Kerlchen! Und noch mal!
Nicht! Aaah!
BRATZ!

Onkel Dagobert! Ruf die Polizei! Hörst du?
Mein Doppelgänger dreht durch und läuft Amok!
HUHUAA! HAHAAA!

Oberhalb der Fälle haben sich wie immer Touristen versammelt...
Schau doch! Da stürzt sich einer im Fass die Fälle runter!
Ganz schön mutig... und dumm dazu!
Nanu? Wer ist das denn?
Huhuahaaa! Hallo, Leute!
Verstehe! Das ist alles nur Show!
Passt alle gut auf! Ich drehe jetzt den Hahn zu!
Das ist ein Tag, den ihr so schnell nicht vergessen werdet! **Huhuahaaa!**
Der Doppelgänger wendet sich flussaufwärts und feuert den Kältestrahl ab...
BRATZ!

Diese Mauer
aus Eis hält
das Wasser auf!

BLUBBS!
BONK!

He! Was soll
das denn?

Grmbl! Wer wagt
es, mir die Tour zu
vermasseln?

Und zu Ihrer Linken sehen Sie nun... **kreisch! Wo ist denn der Wasserfall?**
Die Niagarafälle sind ausgetrocknet!
Nichts als eine feuchte Felsenklippe!
Unerhört! Ich will sofort mein Geld zurück!

HUHUA! HAHAAA!
Sieht so aus, als hätte der da unten das getan!
Sei bloß vorsichtig! Der Mann ist offenbar verrückt!

Was? Wer ist hier verrückt?
BRATZ!
Hilfe!
Aaah!

Ein bisschen Spaß muss sein!
HUHUHAHA! HAHA!
He, du da!

Was soll das, du diabolischer Doppelgänger? Willst du etwa meinen Ruf ruinieren?
Jiautsch!
Urgks!
TSCHRACK!

Hast du's endlich kapiert? Wir passen nicht zueinander!
Diese Welt ist nicht groß genug für zwei von uns!
BRATZ!
Hilfe! Lass das!
Und das bedeutet, du musst verschwinden! **Huhuahaaa!**
Ich hoffe, du bist gerade nicht auf Sendung, Onkel Dagobert!
DONK!
Nette Überraschung, was?
Ich bin nämlich kein Weichei!
Ich auch nicht!
BRATZ!

Bleib stehen und leide!
Aaah!
BRATZ!
Ächz!
BRATZ!
Uaah!
Wir helfen Ihnen, Herr Neotek!
Danke, Kinder!
Ich bin wohl noch ein wenig vereist!
Da ist Onkel Donald!
Gleich zweimal!
Man erkennt sofort, wer wer ist!
Hilfe!
BRATZ!
Huhuahaaa!
Wenn du denkst, du könntest dich hinter dem Fass verstecken...
...hast du dich getäuscht!
BRATZ!

Aaah! Hilfe! Ich komme nicht mehr los!
So ein Pech!
O nein!
Das sieht übel aus für Onkel Donald!
Das ist gemein!
Jetzt musst du stillhalten! Hehe!
Keine Sorge, Kinder!
SUPERSTARKER ELEKTROMAGNET!
Hiermit entwaffne ich den durchgeknallten Doppelgänger!
He! Was soll das?
KLACK!
Fauch! Gib das wieder her!
Groarr! Gib mir sofort die Pistole zurück oder ich reiße dich in Stücke!
Sicher doch! Versuch's nur, mein Junge!
KLICK!

BROTZ!
Uff! He, hör auf damit!
Heiliges Kanonenrohr!
Ein Hitzestrahl!

Eine Wahnsinnswaffe!
Ach was! Alles hat nun mal seine zwei Seiten!
Neiiin! Nicht!

Er ist einfach verschwunden!
BLÖRPS!
POFF!
Er war nichts als verfestigte Elektrizität! Der Kontakt mit dem Wasser hat ihn kurzgeschlossen!

Meinem Doppelgänger ist damals vermutlich genau dasselbe passiert!
Und was ist mit unserem...
...Onkel Donald?
Hilfeee!

Unterdessen, in Entenhausen...
Endlich habe ich wieder ein Bild!

Ich bin gespannt, was Donald so treibt!
Wehe ihm, wenn er wieder irgendeinen Unsinn macht!
SURR! KLAPPER!

Hilfeee!

Es ist hoffnungslos! *Donald ist und bleibt eben ein Nichtsnutz!*
AAAAAAH!

Später...
Ich werde mich wohl zurückziehen und in aller Ruhe meinen Erfindungen widmen!

Es wäre besser, wenn die Welt nicht erfahren würde, dass ich noch lebe!
Schon gut!
Wir sagen nichts!
Das glaubt uns ja doch keiner!

Euer Onkel Dagobert kann meine Erfindungen gerne weiter ausbeuten! Mit Ausnahme des Replikators...
KRACKS!

...meines geliebten Maulwurfs...
...und meiner treuen Mitarbeiter! Einsteigen, meine Kleinen!

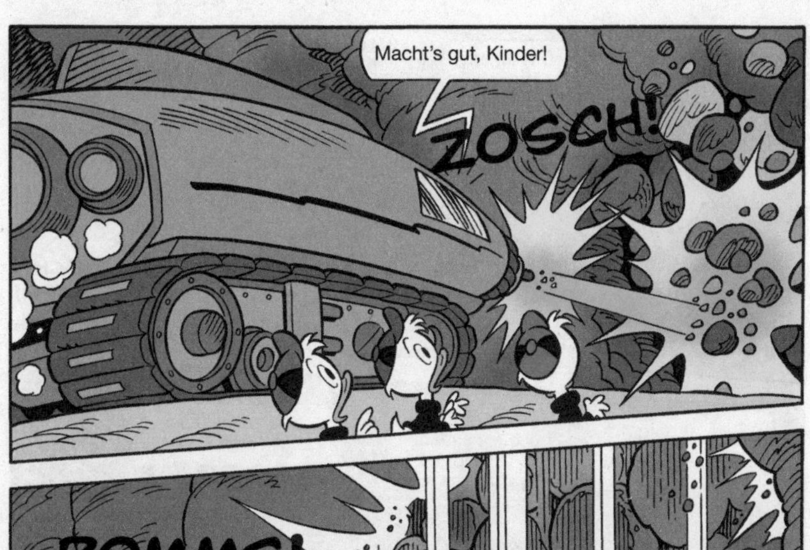
Macht's gut, Kinder!
ZOSCH!

ROMMS!

Das war ein toller Abgang!
Das hätte Onkel Donald sicher auch gefallen!
Onkel Donald!

Den haben wir ja ganz vergessen!
Er ist doch vorhin die Fälle hinuntergerauscht!
Los, kommt! Wir suchen ihn!

He! Hört ihr das?
Das ist er! Hurra! Er lebt!
Was hat er denn?
Aua! Nicht! Hör auf damit!
ZISCH! ZAPP!
Es war wirklich so, Onkel Dagobert!
Da war plötzlich noch ein anderer Donald!
Dir treibe ich die Lügen schon aus!
Das ist für deine Faulheit!
Und das für deine freche Flunkerei!
Und das dafür, dass du mich für so dämlich hältst!
Au! Jau! Hilfe!
ZISCH! ZOSCH!
Und was nun?
Was sollen wir schon groß tun? Wir machen uns...
...lieber schleu-nigst wieder an die Arbeit!
ENDE

LTB 400
Lustiges Taschenbuch
400
JUBILÄUMSAUSGABE

LTB 401
Lustiges Taschenbuch
Agent ohne Angst

LTB 402
Lustiges Taschenbuch
Glücks-jäger

LTB 403
Lustiges Taschenbuch
CUP AM KAP

LTB 404
Lustiges Taschenbuch
SOMMERZEIT

LTB 405
Lustiges Taschenbuch
URLAUBSZEIT

LTB 408
Walt Disney
Lustiges Taschenbuch
PHANTOMIAS TAUCHT AB

LTB 406
Lustiges Taschenbuch
IM ZWIELICHT

LTB 407
Lustiges Taschenbuch
Spaß muss sein!

Das neue LTB
„PHANTOMIAS
TAUCHT AB“
erscheint am
19. Oktober 2010!